La increíble historia de...

M

David Walliams

La increíble historia de...
EL CHICO DEL VESTIDO
(EL MAGO DEL BALÓN)

Ilustraciones de
Quentin Blake

Traducción de
Rita da Costa

montena

Papel certificado por el Forest Stewardship Council®

MIXTO
Papel procedente de
fuentes responsables
FSC
www.fsc.org   FSC® C117695

Penguin
Random House
Grupo Editorial

Título original: *The Boy in the Dress*
Séptima edición: junio de 2016
Sexta reimpresión: noviembre de 2022

Publicado originalmente en el Reino Unido por HarperCollins Children's Books,
una división de HarperCollins Publishers Ltd.

© 2008, David Walliams
© 2008, Quentin Blake, por las ilustraciones y el *lettering*
del nombre del autor en la cubierta
© 2014, Penguin Random House Grupo Ediorial, S. A. U.
Travessera de Gràcia, 47-49. 08021 Barcelona
© 2014, Rita da Costa García, por la traducción
Diseño de la cubierta: adaptación del diseño de portada de HarperCollins
Publishers / Penguin Random House Grupo Ediorial
Ilustración de la cubierta: Tony Ross

Printed in Spain – Impreso en España

ISBN: 978-84-9043-126-9
Depósito legal: B-6.592-2014

Compuesto en Compaginem Llibres, S. L.
Impreso en Limpegraf
Barberà del Vallès (Barcelona)

GT 3 1 2 6 F

Para Eddie,

que tantas alegrías nos ha dado a todos

1

Nada de abrazos

Dennis era diferente.

Cuando se miraba en el espejo veía a un chico de doce años normal y corriente. Pero se sentía distinto; sus pensamientos estaban llenos de color y poesía, aunque su vida podía llegar a ser muy gris.

La historia que me dispongo a contar empieza aquí, en una casa normal y corriente, en una calle normal y corriente, en un barrio normal y corriente. La casa de Dennis era casi idéntica a todas las demás de su calle. Una tenía cristales dobles; la otra, no. Una tenía su sendero de grava; la otra, un caminito hecho con losas de pizarra. Una tenía un Vauxhall Cavalier aparcado delante, la otra, un Vauxhall Astra. Pequeñas diferencias que en realidad solo servían para subrayar lo mucho que se parecían unas a otras.

Todo era tan corriente y moliente que por fuerza tenía que acabar pasando algo fuera de lo común.

Dennis vivía con su padre —que tenía nombre, pero Dennis nunca lo usaba para referirse a él, así que yo tampoco lo haré— y su hermano mayor, John, de catorce años. A Dennis le fastidiaba bastante que John siempre fuera a llevarle dos años de ventaja, y que siempre fuera a ser más grande y fuerte que él.

La madre de Dennis se había ido de casa hacía un par de años. Hasta entonces Dennis salía a escondidas de su habitación y se sentaba en lo alto de la escalera. Desde allí oía a sus padres discutiendo a gritos, hasta que un día se acabaron las discusiones.

Su madre se marchó.

Papá prohibió a John y a Dennis que volvieran a mencionarla. Y al poco de que su mujer se fuera, recogió todas las fotos de ella que encontró en la casa y las quemó en una gran hoguera.

Pero Dennis se las arregló para rescatar una.

Una sola foto se salvó de la quema. Subió bailando entre las llamas, impulsada por el calor del fuego, y se alejó flotando entre el humo hasta quedar atrapada en un seto cercano.

Al anochecer Dennis salió disimuladamente y cogió la foto. Estaba tan chamuscada y ennegrecida por los bordes que nada más verla se le encogió el corazón, pero cuando la volvió hacia la luz comprobó que la imagen seguía tan nítida y brillante como siempre.

En ella se veía una escena de lo más feliz: John y Dennis, unos años más jóvenes, en la playa con su madre, que llevaba puesto un precioso vestido amarillo de flores. A Dennis le encantaba ese vestido, tan lleno de vida y color, tan suave al tacto. Cuando su madre se lo ponía, era señal de que el verano había llegado.

En la calle hacía calor el día que ella se marchó, pero el verano no había vuelto a casa de Dennis desde entonces.

En la foto, su hermano y él iban en bañador, sostenían un cucurucho cada uno y sonreían con la boca toda manchada de helado de vainilla. Dennis guardaba la foto en el bolsillo y todos los días la contemplaba en secreto. En ella su madre estaba guapísima, aunque sonreía sin demasiadas ganas. Dennis se la quedaba mirando durante horas, intentando imaginar en qué estaría pensando en ese instante.

Desde que ella se había ido, su padre apenas despegaba los labios, y cuando lo hacía, era casi siempre para gritar, así que Dennis pasaba muchas horas viendo la tele, y nunca se perdía su programa preferido, *Trisha*. Había visto un especial dedicado a las personas deprimidas y pensaba que quizá su padre lo estuviera. A Dennis le chiflaba *Trisha*. Era un programa de entrevistas en el que gente normal y corriente podía ir a hablar de sus problemas o poner de vuelta y media a su familia, y lo presentaba una mujer que, pese a su aspecto dulce y amable, era de armas tomar. Se llamaba..., a ver si lo adivináis: Trisha.

Durante un tiempo, Dennis pensó que la vida sin su madre sería como una aventura. Podía quedarse despierto hasta las tantas, alimentarse con comida para llevar y ver programas de humor grosero. Sin embargo, a medida que los días fueron dando paso a las semanas, y las semanas a los meses, y los meses a los años, se dio cuenta de que su vida no era ninguna aventura.

Era sencillamente triste.

Dennis y John se querían el uno al otro como suelen quererse los hermanos: como si no les quedara más remedio que hacerlo. Pero John ponía a prueba ese amor bastante a menudo, haciendo cosas que le parecían de lo más chistosas, como sentarse en la cara de Dennis y tirarse una traca de pedos. Si tirarse pedos fuera un deporte olímpico (mientras escribo esto me comentan que no lo es, lo que me parece una vergüenza), él habría ganado unas cuantas medallas de oro y hasta puede que la reina lo hubiese nombrado caballero de la corte.

Llegados a este punto, queridos lectores, tal vez penséis que el hecho de perder a su madre hizo que los dos hermanos estuvieran más unidos.

Por desgracia solo sirvió para distanciarlos.

A diferencia de Dennis, John sentía mucha rabia hacia su madre por haberse marchado, por más que tratara de disimularlo, y estaba de acuerdo con su padre en que lo mejor era no volver a mencionarla. Era una de las reglas de la casa:

Nada de hablar de mamá.

Nada de llorar.

Y lo peor de todo: nada de abrazos.

Dennis, en cambio, solo sentía una gran tristeza. A veces echaba tanto de menos a su madre que lloraba en la cama por las noches. Intentaba llorar sin hacer ruido, porque compartía la habitación con su hermano y no quería que lo oyera.

Pero una noche los sollozos de Dennis despertaron a John.

—¿Dennis? ¿Dennis? ¿Y ahora por qué lloras? —preguntó John desde su cama.

—No lo sé. Es solo que... bueno... Ojalá mamá estuviera aquí y eso... —contestó Dennis.

—Ahórrate las lágrimas. Se ha marchado y no va a volver.

—Eso no lo sabes...

—No va a volver, Dennis. Y ahora deja de llorar. Que pareces una chica.

Pero Dennis no podía dejar de llorar. El dolor era como un inmenso mar que llegaba en oleadas y estallaba en su interior, casi ahogándolo en lágrimas. Sin embargo, como no quería disgustar a su hermano, lo hacía tan silenciosamente como podía.

¿Y por qué era Dennis tan distinto, os preguntaréis? Al fin y al cabo, vivía en una casa normal y corriente, en una calle normal y corriente, en un barrio normal y corriente.

Bueno, seguid leyendo y no tardaréis en averiguar la respuesta a esa pregunta...

2

Papá zampabollos

El padre de Dennis se puso a dar brincos y a chillar de alegría. Luego se volvió hacia él y le dio un abrazo de oso.

—¡Dos a cero! —exclamó—. Menuda paliza les hemos dado, ¿a que sí, hijo mío?

Sí, ya sé que he dicho que en casa de Dennis no estaban permitidos los abrazos. Pero esto era distinto.

Era por el fútbol.

En casa de Dennis, hablar del fútbol resultaba más fácil que hablar de los sentimientos. Padre e hijos eran grandes aficionados a ese deporte, y juntos compartían las escasas alegrías y las muchas penas del equipo local, que jugaba en tercera división.

Sin embargo, a la que el árbitro pitaba el final del partido, se acababa lo que se daba y los abrazos volvían a estar estrictamente prohibidos.

Dennis los echaba de menos. Su madre solía abrazarlo a todas horas. Era tan dulce y cariñosa que le encantaba que lo achuchara. La mayor parte de los niños no ven la hora de crecer y hacerse ma-

yores, pero Dennis añoraba ser pequeño y que su madre lo cogiera en brazos. En ningún sitio se sentía tan seguro como en su regazo.

Era una lástima que el padre de Dennis apenas lo abrazara. A las personas regordetas se les dan muy bien los abrazos porque son grandes y blanditas, como un buen sillón mullido.

Ah, ¿no lo he comentado? El padre de Dennis estaba gordo.

Realmente gordo.

Era camionero y hacía rutas muy largas. Tanto tiempo sentado al volante, sin estirar las piernas más que para entrar en el bar de alguna estación de servicio y zamparse un combinado de huevos, salchichas, beicon, judías y patatas fritas, había acabado pasándole factura.

A veces, después del desayuno, el muy glotón se comía dos bolsas de patatas fritas. Cuando la madre de Dennis se marchó, él no hizo más que engordar. Había visto un programa de Trisha dedicado a un hombre llamado Barry, que estaba tan gordo que no podía limpiarse su propio trasero. El público del programa había oído entre «¡Aaah!» y «¡Oooh!», con una extraña mezcla de fascinación y horror, la cantidad de comida que el hombre engullía todos los días. Entonces Trisha le había preguntado:

—Barry, verte obligado a llamar a tus padres para que te limpien tus... partes, ¿no te anima a intentar perder peso?

—Pero, Trisha, es que a mí me chifla comer...
—había contestado Barry con una sonrisa bobalicona.

Trisha le había dicho que utilizaba la comida «como consuelo». Se le daba muy bien soltar frases como esa. Al fin y al cabo, ella tampoco lo había tenido fácil en la vida. Barry lloró un poquito al final, y mientras pasaban los créditos en la pantalla, Trisha sonrió con tristeza y le dio un abrazo, aunque le costó lo suyo rodear a Barry con los brazos, ya que abultaba tanto como un pequeño bungalow.

Dennis se preguntó si el zampabollos de su padre buscaría también consuelo en la comida, si estaría desayunando una salchicha o una rebanada más de pan frito para, como decía Trisha, «llenar el vacío que sentía en su interior». Pero no se atrevía a compartir ese pensamiento con él. De entrada, no le hacía demasiada gracia que su hijo viera ese tipo de programas. «Eso es para chicas», solía decir.

Dennis soñaba con ser el protagonista de uno de los programas de Trisha, que se titularía «Los pedos de mi hermano huelen fatal», o bien «Mi padre tiene un problema con el chocolate» (todos los días, al volver de trabajar, se zampaba un paquete entero de galletas de chocolate de esas adictivas).

Su padre estaba tan gordo que cuando John y Dennis jugaban con él al fútbol siempre se ponía en la portería. Le gustaba jugar de guardameta porque así no tenía que andar corriendo de aquí para allá. La portería estaba formada por un cubo puesto del revés y un barril de cerveza vacío, vestigio de una barbacoa ya olvidada que habían celebrado mucho tiempo atrás, cuando la madre de Dennis aún vivía con ellos.

Ya nunca hacían barbacoas. Comían salchichas rebozadas que compraban en la freiduría del ba-

rrio, o bien cuencos de cereales, no necesariamen-
te para desayunar.

Lo que más le gustaba a Dennis de jugar al fútbol con su familia en el jardín era que se le daba
muy bien. Aunque su hermano tenía dos años más
que él, Dennis lo superaba sin esfuerzo: le robaba
la pelota, regateaba y marcaba goles con gran ha-
bilidad. Y no es que fuera fácil, ni mucho menos,
meter el balón en la portería estando su padre delante. No porque se le diera bien defenderla, sino
porque la tapaba casi entera con su corpachón.

Los domingos por la mañana Dennis solía jugar al fútbol con el equipo del barrio. Su sueño era
convertirse en futbolista profesional, pero después
de que sus padres se separaran había dejado de ir a
los partidos. Siempre era su madre la que lo acer-
caba en coche, y su padre no podía hacerlo porque
se pasaba la vida recorriendo el país arriba y abajo
en su camión para intentar llegar a fin de mes.

Así que el sueño de Dennis se había ido desvaneciendo poco a poco.

Sin embargo, seguía jugando al fútbol en la escuela, y en su equipo era el mejor... ¿cómo se dice?, ¿chutador?

Perdón, queridos lectores, esto tengo que buscarlo.

Ah, quería decir «delantero».

Sí, Dennis era el mejor delantero de su equipo, y marcaba más de un millón de goles al año.

Perdonad de nuevo, queridos lectores. No sé gran cosa de fútbol, pero a lo mejor un millón es demasiado. ¿Mil goles? ¿Cien? ¿Dos?

El caso es que era el que más goles marcaba.

Por ese motivo, Dennis era muy popular entre sus compañeros de equipo, a excepción de un ca-

pitán, Gareth, que se metía con él por cada pequeño error que cometía en el campo de juego. Dennis sospechaba que le tenía tirria porque no era tan
bueno como él. Gareth era uno de esos chicos que
son muy grandes para su edad. De hecho, a nadie
le sorprendería descubrir que en realidad era cinco
años mayor que todos sus compañeros de clase,
pero no lo habían pasado de curso por ser un poco
corto de entendederas.

En cierta ocasión, Dennis faltó a clase un día que
había partido porque estaba muy resfriado. Acababa de ver en el programa de Trisha la emocionante historia de una mujer que había descubierto
que estaba manteniendo una aventura con su propio marido, y se disponía a comer una sopa de to-
mate Heinz mientras veía su segundo programa
preferido, *Loose Women,* donde un puñado de señoras con cara de malas pulgas debatían sobre cosas importantes, como dietas y leotardos.

Sin embargo, justo cuando empezaba a sonar la sintonía del programa, alguien llamó a la puerta. Dennis se levantó de mala gana. Era Darvesh, su mejor amigo en la escuela.

—Dennis, tienes que venir a jugar hoy —suplicó.

—Lo siento, Darvesh, pero es que no me encuentro bien. No puedo parar de estornudar y toser. ¡Achís! ¿Lo ves? —replicó Dennis.

—Pero hoy nos jugamos el pase a cuartos de final. Hasta ahora siempre nos han eliminado en cuartos de final. Por favor...

Dennis volvió a estornudar.

—¡Aaaaaaaaaaaaaaaaaaaaccccccccccchhh hhhhhhhhhhhhhhííííííííííííííííííííííís!

Fue un estornudo tan fuerte que Dennis temió que todo su cuerpo fuera a volverse del revés, como un calcetín.

—Por favooooor... —insistió Darvesh con expresión de súplica mientras limpiaba disimuladamente los mocos de Dennis que habían ido a parar a su corbata.

—De acuerdo, lo intentaré —respondió Dennis, sin parar de toser.

—¡Bieeeeeen! —exclamó Darvesh, como si ya hubiesen ganado el partido.

Dennis engulló a toda prisa unos tragos de sopa, cogió su equipo y salió corriendo de casa.

La madre de Darvesh los estaba esperando en su pequeño Ford Fiesta rojo con el motor al ralentí. Trabajaba como cajera en los almacenes Sainsbury, pero la ilusión de su vida era ver jugar a su hijo. Era la madre más orgullosa del mundo, lo que siempre hacía que su hijo se avergonzara un poquitín de ella.

—¡Menos mal que has venido, Dennis! —le dijo cuando este se subió a toda prisa al asiento trasero del coche—. El equipo te necesita, el de hoy es un partido muy importante. ¡Incluso diría que es el más importante de toda la temporada!

—¡Vámonos de una vez, mamá! —la apremió Darvesh.

—¡Vale, vale, ya nos vamos! ¡No le hables así a tu madre, Darvesh! —gritó, fingiendo estar más enfadada de lo que realmente estaba. Pisó a fondo el acelerador y el coche arrancó a trompicones en dirección el campo de juego.

—Vaya, así que al final has decidido venir... —le soltó Gareth con cara de pocos amigos mientras

aparcaban. No solo era más alto que todos sus compañeros de clase, sino que también tenía una voz
más grave y una cantidad de vello corporal inquietante para un chico de su edad.

En las duchas parecía un orangután.

—Lo siento, Gareth, pero es que no me encon-
traba bien. Creo que he pescado un buen...

Antes de que pudiera decir «resfriado» se le es-
capó otro estornudo, más violento incluso que el
anterior.

—¡Aaaaaaaaaaaaaaaaaaaaaaaaaaaaaaaaaaaaaaa
aaaaaaaaaaaaaaaaaaaaaaaaaaaaaaaaaacccccc
cccccccccccccccccccccccccccccchccccc
cchhhhhhhhhhhhhhhhhhhhhhhh
hhhhhhííííííííííííííííííííííííííííííííííí
íííííííííííííííííííííííííííííííííís!

—Vaya, lo siento, Gareth —se disculpó Dennis, limpiando un moco de la oreja de Gareth con un pañuelo de papel.

—Acabemos con esto de una vez —dijo Gareth.

Sintiéndose débil y enfermo, Dennis entró corriendo en el campo de juego con sus compañeros de equipo, tosiendo y moqueando sin parar.

—¡Os deseo mucha suerte, chicos! ¡Sobre todo a mi hijo Darvesh, y por supuesto a su amigo Dennis! ¡Vamos a ganar este partido! —gritó la madre de Darvesh a pie de campo.

—Me hace pasar una vergüenza... —refunfuñó Darvesh.

—A mí me parece genial que venga a vernos —dijo Dennis—. Mi padre nunca ha venido a verme jugar un partido.

—¡A ver si hoy marcas un bonito gol, Darvesh, hijo mío!

—Hummm..., vale, ya te entiendo... —reconoció Dennis.

Esa tarde se enfrentaban al St Kenneth, una de esas escuelas privadas cuyos alumnos miraban a los demás por encima del hombro solo porque sus padres tenían que pagar para que estudiaran allí. Pero hay que reconocer que tenían un equipo muy bueno, y no habían pasado ni diez minutos de partido cuando marcaron el primer gol. A partir de ese momento se desataron los nervios en el equipo local. Darvesh arrebató la pelota a un chico dos veces más alto que él y se la pasó a Dennis.

—¡Muy buena esa entrada, Darvesh, hijo mío! —gritó su madre.

La emoción de controlar el balón hizo que Dennis se olvidara por unos instantes del resfriado. Se abrió paso con agilidad entre los defensas hasta acercarse al guardameta del equipo contrario, un chico de abundante melena que estrenaba equipo y seguramente se llamaba Oscar, Tobias o algo por el estilo. De repente se encontraron cara a cara, y Dennis no pudo reprimir otro estornudo.

—¡¡¡Aaaaaaaaaaaaaaccccccccccccccccchhhh hhhhhhhhííííííííííííííííííííííííííííííís!!!

Una lluvia de mocos explotó en la cara del portero, cegándolo por un momento. Lo único que Dennis tuvo que hacer fue darle un toque a la pelota para que esta entrara mansamente en la portería.

—¡Falta! —gritó el portero, aunque el árbitro no la pitó. Sí que era una falta, pero de educación.

—Oye, lo siento —dijo Dennis. Era verdad que no lo había hecho aposta.

—¡No pasa nada, tengo un pañuelo! —exclamó la madre de Darvesh—. Siempre llevo un paquete encima. —Ni corta ni perezosa, la mujer se lanzó al terreno de juego, remangándose el sari por el camino para no llenarlo de barro, y se acercó al portero del equipo contrario—. Aquí tienes, niño pijo —añadió, tendiéndole el pañuelo al portero. Darvesh puso los ojos en blanco al ver a su madre invadiendo el campo de juego. Entre lágrimas, el portero se limpió los mocos de Dennis de su pelo lacio—. Si quieres saber mi opinión, el St Kenneth tiene todas las de perder —añadió la madre de Darvesh.

—¡Mamáááááá! —gritó Darvesh.

—¡Lo siento, lo siento! ¡Ya podéis seguir jugando!

Cuatro goles más tarde, de Dennis, de Gareth, de Darvesh y... otro que resultó de una pelota desviada «accidentalmente» por la madre de Darvesh, el equipo de Dennis había ganado el partido.

—¡Habéis pasado a la semifinal, chicos! ¡Qué ilusión! —exclamó la madre de Darvesh mientras llevaba a los chavales de vuelta a casa, aporreando el claxon del Ford Fiesta para celebrar la victoria. Para ella era como si Inglaterra hubiese ganado el Mundial de fútbol.

—Por favor, no vengas a la semifinal, mamá, te lo suplico. ¡No, si vas a montar el numerito otra vez!

—¡Qué cosas se te ocurren, Darvesh! Sabes que no me perdería el siguiente partido por nada del mundo. ¡Ay, qué orgullosa estoy de ti!

Darvesh y Dennis se miraron y sonrieron. Por un momento, su victoria en el campo de juego les hizo sentir como si fueran los amos del universo.

Hasta su padre sonrió cuando Dennis le dijo que su equipo había pasado a la semifinal.

Pero su alegría no tardaría en desvanecerse...

3

Debajo del colchón

—¿Qué demonios es esto? —preguntó el padre de Dennis. Estaba tan enfadado que los ojos parecían a punto de salírsele de las órbitas.

—Una revista —contestó Dennis.

—Eso ya lo veo.

Dennis no entendía por qué se lo preguntaba si ya sabía la respuesta, pero decidió que lo mejor era callar.

—Es la revista *Vogue*, papá.

—Eso ya lo veo.

Dennis guardó silencio. Había comprado la revista en el quiosco unos días antes. Le había gustado la foto de portada. En ella aparecía una chica preciosa luciendo un vestido amarillo más precioso todavía, con lo que parecían rosas cosidas delante. Le recordó muchísimo al vestido que su madre llevaba puesto en la foto que había rescatado de las llamas. No tuvo más remedio que comprarla, y eso que la revista costaba 3,80 libras y él solo recibía cinco libras de asignación semanal.

NO SE PERMITE LA ENTRADA A MÁS DE 17 NIÑOS A LA VEZ, rezaba un cartel colgado en el escaparate del quiosco. El dueño de la tienda era un hombre dicharachero llamado Raj que se reía incluso cuando no pasaba nada gracioso. Entrabas por la puerta y te saludaba entre risas llamándote por tu nombre, y eso fue justamente lo que hizo cuando Dennis se presentó en el quiosco.

—¡Dennis, ja, ja!

Cualquiera que viese a Raj riendo no podía evitar reír también. Dennis visitaba su quiosco casi todos los días cuando iba hacia la escuela o volvía a casa, a veces solo para charlar un rato con Raj, y después de coger aquel ejemplar de *Vogue* se sintió un poco avergonzado. Sabía que por lo general eran las mujeres quienes compraban esa clase de revistas, así que mientras se dirigía a la caja cogió también una revista de fútbol con la esperanza de esconder el *Vogue* debajo de esta. Sin embargo, después de cobrarle la revista deportiva, Raj se detuvo.

Miró el *Vogue* y luego a Dennis.

El chico tragó saliva.

—¿Estás seguro de que la quieres, Dennis? —preguntó—. Solo la leen las señoras y tu profesor de arte dramático, el señor Howerd.

—Hum... —titubeó Dennis—, es un regalo para una amiga, Raj. Es su cumpleaños.

—¡Ah, entiendo! ¿Por qué no te llevas también algo de papel de regalo?

—Hum, vale —contestó Dennis con una sonrisa. Raj era un vendedor nato y todo un experto en endilgarte cosas que en realidad no querías.

—El papel de regalo está ahí al fondo, con las tarjetas de felicitación.

Dennis se fue a regañadientes en la dirección señalada.

—¡Ah! —añadió Raj con entusiasmo—. ¡Puede que también quieras una tarjeta! Deja que te ayude.

El quiosquero salió a trompicones de detrás del mostrador y empezó a enseñar a Dennis su selección de tarjetas, de las que estaba muy orgulloso.

—Estas de aquí son las preferidas de las señoras. Flores. A las chicas les encantan las flores. —Luego señaló otra tarjeta—. ¡Gatitos! Mira qué gatitos tan monos. ¡Y perritos! —Raj estaba que no cabía en sí de emoción—. ¡Fíjate en estos perritos!, ¿a que son una cucada? Son tan adorables que me dan ganas de llorar.

—Pueees... —empezó Dennis, estudiando la tarjeta de los perritos y preguntándose cómo esta podría hacer llorar a alguien.

—¿Qué le gustarán más a esa amiga tuya, los gatitos o los perritos? —preguntó Raj.

—No estoy seguro —dijo Dennis, incapaz de pensar en lo que podría preferir «su amiga», suponiendo que existiera—. Creo que perritos, Raj.

—¡Pues no se hable más! ¡Estos cachorros son tan preciosos que me los comería a besos!

Dennis intentó asentir con la cabeza, pero esta se negaba a moverse.

—¿Te gusta este papel? —le preguntó Raj, sacando un rollo que tenía toda la pinta de haber sobrado de las últimas Navidades.

—Es de Papá Noel, Raj.

—¡Claro, Dennis, porque Papá Noel te desea feliz cumpleaños! —replicó Raj sin pestañear siquiera.

—Creo que de momento no lo necesito, gracias.

—Por la compra de dos rollos, te regalo el tercero —anunció Raj.

—No, gracias.

—¡Tres rollos al precio de dos! ¡Es un ofertón!

—No, gracias —insistió Dennis.

—¿Siete rollos al precio de cinco?

Dennis siempre suspendía matemáticas, así que no tenía muy claro si esa oferta era mejor que la anterior o no. Pero no quería siete rollos de papel de regalo con la cara de papá Noel, y menos en marzo, así que volvió a decir:

—No, gracias.

—¿Once rollos al precio de ocho?

—No, gracias.

—¿Te has vuelto loco, Dennis? ¡Te estoy ofreciendo tres rollos gratis!

—Pero es que no necesito once rollos de papel de regalo —respondió Dennis.

—De acuerdo, de acuerdo —se rindió Raj—. Vamos a la caja y te cobro todo lo demás.

Dennis siguió a Raj y miró de reojo las chucherías expuestas en el mostrador.

—Una revista, dos revistas, una tarjeta... Y ahora no les quitas ojo a mis chocolatinas Yorkie, ¿verdad? —dijo Raj, riendo.

—Bueno, solo estaba...

—Coge una.

—No, gracias.

—Cógela —insistió Raj.

—No hace falta, de verdad.

—Por favor, Dennis, quiero que te lleves una cho-colatina Yorkie.

—En realidad no me gustan las Yorkie...

—¡Pero si le gustan a todo el mundo! Por favor, coge una.

Dennis sonrió y cogió una Yorkie.

—Una chocolatina Yorkie, sesenta peniques —dijo Raj.

Dennis se lo quedó mirando, patidifuso.

—Serán cinco libras en total, si eres tan amable —concluyó el quiosquero.

Dennis hurgó en el bolsillo y sacó un puñado de monedas.

—Como eres mi cliente preferido —anunció Raj—, te haré un descuento.

—Ah, gracias —dijo Dennis.

—Serán cuatro libras y noventa y nueve peniques.

Dennis ya había recorrido media calle cuando oyó una voz que gritaba a su espalda:

—¡Te has olvidado del celo!

Se dio media vuelta. Raj sostenía una caja llena de rollos de cinta adhesiva.

—¡Necesitas celo para envolver el regalo!

—No, gracias —dijo Dennis educadamente—. Tenemos en casa.

—¡Quince rollos al precio de trece! —anunció Raj a grito pelado.

Dennis sonrió y siguió caminando. De pronto se sentía eufórico. Estaba impaciente por llegar a casa, hojear la revista y contemplar sus cientos de páginas satinadas y llenas de color. Apretó el paso, luego empezó a corretear y, cuando ya no fue capaz de contener la emoción, se lanzó a la carrera.

Al llegar a casa, se fue derecho a la planta de arriba. Cerró la puerta de su habitación, se tumbó en la cama y abrió la revista por la primera página.

Como un cofre del tesoro sacado de alguna peli antigua, la revista parecía iluminar su cara con un resplandor dorado. Las primeras cien páginas eran todas anuncios, pero eso era lo mejor de todo, en cierto sentido: páginas y más páginas de fotos espectaculares en las que salían mujeres despampanantes con ropa, maquillaje, joyas, zapatos, gafas de sol y bolsos maravillosos. Debajo de las imágenes aparecían nombres como Yves Saint-Laurent, Christian Dior, Tom Ford, Alexander McQueen, Louis Vuitton, Marc Jacobs y Stella McCartney. Dennis no tenía ni idea de quiénes eran, pero le encantaba cómo quedaban sus nombres impresos en las páginas de la revista.

Después de los anuncios venían unas pocas páginas con mucha letra —parecían aburridas, así que no las leyó—, y luego páginas y más páginas de reportajes de moda. No eran muy distintos de los anuncios, ya que en ellos también salían fotos de mujeres guapísimas que posaban con aire enfurruñado. Hasta el olor de la revista era embriagador, pues tenía páginas especiales con una solapa de la que podías tirar para probar lo último en colonias. Dennis estudiaba minuciosamente cada página, hechizado por los vestidos: los colores, los largos, el corte. Podía pasar horas hojeando la revista.

El glamour.

La belleza.

La perfección.

De pronto oyó que se abría la puerta de la calle.

—¿Dennis? Hermanito, ¿dónde te metes?

Era John.

Dennis escondió la revista a toda prisa debajo del colchón. Algo le decía que era mejor que su hermano no la viera. Abrió la puerta de la habitación y contestó lo más inocentemente que pudo desde lo alto de la escalera:

—Estoy aquí arriba.

—¿Qué estás haciendo? —preguntó John mientras subía los escalones de dos en dos con la boca llena de galletas.

—Nada. Acabo de llegar.

—¿Te vienes a jugar a la pelota al jardín?

—Bueno, vale.

Pero todo el rato, mientras jugaba, Dennis no podía evitar pensar en la revista. Tenía la impresión de que relumbraba como el oro desde su escondrijo debajo del colchón. Esa noche, mientras su hermano se bañaba, sacó el *Vogue* sin hacer ruido y pasó las páginas en silencio, anotando mentalmente cada costura, cada puntada, cada tela.

Siempre que tenía ocasión, Dennis volvía a ese mundo fantástico. Era su Narnia, solo que sin el león hablador que se supone que es Jesús.

Pero la vía de escape a ese universo mágico del glamour se acabó el día que su padre encontró la revista.

—Que es el *Vogue* ya lo veo yo. Lo que quiero saber es para qué demonios puede querer un hijo mío una revista de moda.

Sonaba como una pregunta, pero había tal rabia y enfado en la voz de su padre que Dennis no estaba seguro de que quisiera oír la respuesta. De todos modos, no se le ocurría ninguna.

—Pues la verdad es que me gusta. Solo son fotos y cosas sobre vestidos y todo eso.

—Eso ya lo veo —replicó su padre, mirando la revista.

Y entonces fue cuando enmudeció y puso una cara muy extraña. Observó por unos instantes la portada, en la que salía la chica del vestido floreado.

—Este vestido. Es como uno que tenía tu m...

—¿Sí, papá?

—Nada, Dennis. Nada.

Por un momento, Dennis tuvo la sensación de que su padre iba a echarse a llorar.

—No pasa nada, papá —le dijo en susurros, y despacito puso la mano sobre la de su padre. Recordó haber hecho lo mismo con su madre en cierta ocasión, después de que él la hiciera llorar. Recordó lo raro que también se le hizo entonces que un niño consolara a un adulto.

El padre de Dennis consintió que este le cogiera la mano unos instantes, pero luego la apartó, avergonzado, y volvió a hablar.

—No, hijo. Eso no está bien. Lo de los vestidos. Es raro.

—Bueno, papá, ¿y tú qué buscabas debajo de mi colchón, si puede saberse?

En realidad Dennis sabía exactamente qué buscaba debajo del colchón. Su padre tenía una revista cochina de esas que Raj guardaba en el estante más alto del quiosco. A veces John entraba a escondidas en su habitación y se la llevaba para mirarla. Dennis también la hojeaba de cuando en cuando, pero no le parecía nada del otro mundo. Le decepcionaba ver a las chicas sin ropa, pues prefería recrearse en lo que llevaban puesto.

El caso es que cuando John se llevaba «prestada» la revista de su padre, no era como cuando sacas un libro prestado de la biblioteca. No había una tarjeta que tuviera que sellar una bibliotecaria con gafas, y nadie lo penalizaba si tardaba más de la cuenta en devolverla.

Así que, por lo general, John se la quedaba y punto.

Dennis supuso que la revista de su padre había desaparecido de nuevo, y que mientras la buscaba había encontrado por casualidad su *Vogue*.

—Pues, verás, lo que buscaba debajo de tu colchón era... —Primero el hombre pareció incómodo, y luego, enfadado—. Da igual lo que estuviera buscando. Soy tu padre. ¡Puedo mirar debajo de tu colchón siempre que me dé la gana!

Concluyó su discurso con ese tono triunfal que los adultos emplean a veces cuando lo que dicen son pamplinas y lo saben.

El padre de Dennis blandió la revista.

—Esto va directo al cubo de la basura, hijo.

—Pero, papá... —protestó Dennis.

—Lo siento. Sencillamente no está bien. Un chico de tu edad leyendo el *Vogue*... —Pronunció la palabra «Vogue» como si estuviera hablando en una lengua extranjera que no entendiera—. No está bien —repitió una y otra vez para sus adentros mientras se iba de la habitación.

Dennis se quedó sentado en el borde de la cama. Oyó a su padre bajando la escalera a pisotones y luego levantando la tapa del cubo de la basura. Finalmente oyó el ruido sordo que hizo la revista al caer dentro del cubo.

4

Ganas de desaparecer

—Buenos días, Dennis... ¿O debería decir «Denise»? —preguntó John, riendo sin compasión.

—Te dije que no lo comentaras —refunfuñó su padre con cara de pocos amigos mientras se untaba la tostada de pan blanco con una capa de mantequilla de un dedo de grosor. Cuando mamá vivía con ellos, le hacía comer margarina.

Y pan integral.

Dennis se dejó caer en una silla de la cocina sin despegar los labios, sin mirar siquiera a su hermano. Se sirvió unos pocos Rice Krispies.

—¿Qué se lleva esta temporada? —se burló John, y volvió a reírse.

—¡Te dije que no sacaras el tema! —replicó su padre, levantando más la voz.

—¡Esas revistas son para chicas! ¡Y mariquitas!

—¡QUE TE CALLES! —gritó su padre.

De repente Dennis ya no tenía ni pizca de apetito, por lo que cogió su mochila y salió de casa dando un portazo. Ya en la calle, siguió oyendo a su padre:

—¿Qué te he dicho, John? Se acabó, ¿me oyes? Está en el cubo de la basura.

Dennis se fue al cole de mala gana. No quería estar en casa, pero tampoco en clase. Temía que su hermano le fuera con el cuento a algún compañero suyo y que este lo convirtiera en el hazmerreír de toda la escuela. Lo único que quería era desaparecer. Cuando era mucho más pequeño, creía que si cerraba los ojos nadie más podría verlo.

En ese instante deseó que fuera cierto.

La primera asignatura del día era historia. A Dennis le gustaba la historia. Estaban estudiando la dinastía Tudor, y le encantaba mirar los retratos de los reyes y reinas ataviados con sus mejores galas. Sobre todo Isabel I, que sabía «vestirse para mandar», una expresión que había leído en *Vogue*, en un reportaje de moda en el que la modelo llevaba un traje chaqueta de corte impecable. Pero la siguiente asignatura, química, siempre le había parecido la cosa más aburrida del mundo. Dennis se pasaba la mayor parte de la clase mirando la tabla periódica y tratando de descifrar su significado.

Cuando llegó la hora del recreo, salió al patio a jugar al fútbol con sus amigos, como siempre. Se lo estaba pasando bien hasta que vio a John con sus colegas, los típicos rebeldes con el pelo muy corto a los que un orientador laboral recomendaría que se hicieran porteros de discoteca o delincuentes profesionales. La pandilla empezó a cruzar con toda tranquilidad el improvisado campo de juego.

Dennis contuvo la respiración.

John le hizo un gesto con la cabeza a modo de saludo, pero no dijo esta boca es mía.

Dennis soltó un suspiro de alivio.

Estaba casi seguro de que su hermano no le había dicho a nadie que lo habían sorprendido con una revista de moda. Al fin y al cabo, Darvesh estaba jugando con él al fútbol, como siempre. Usaban una vieja pelota de tenis mordisqueada por Bicho, el perro de Darvesh. Las pelotas de fútbol estaban prohibidas en el patio de la escuela para evitar que se rompieran los cristales. Con un atrevido pase cruzado, Darvesh le sirvió el gol en bandeja.

Dennis remató con la cabeza, pero la pelota salió disparada hacia arriba, pasó de largo por encima de lo que se suponía que era la portería... y entró por la ventana del despacho del director.

John y sus amigos se la quedaron mirando, boquiabiertos. El patio de recreo enmudeció de repente.

Había tanto silencio que podría haberse oído el vuelo de una mosca, en el improbable caso de que una mosca pasara por allí en ese instante.

—Glups... —murmuró Darvesh.

—Sí, glups... —dijo Dennis.

Decir «glups» era quedarse muy, pero que muy corto. El director, el señor Hawtrey, detestaba a los niños. En realidad detestaba a todo el mundo, seguramente incluyéndose a sí mismo. Siempre iba hecho un pincel, con un traje de color gris con chaleco a juego, corbata negra y gafas de montura oscura. Llevaba el pelo cuidadosamente peinado con la raya en medio y tenía un fino bigotito negro. Era como si se propusiera tener pinta de malo. Y tenía la cara que acabaría teniendo cualquiera que se pasara toda la vida haciendo muecas de asco.

Una mueca permanente.

—A lo mejor no está en el despacho —aventuró Darvesh, esperanzado.

—A lo mejor —contestó Dennis, tragando saliva.

En ese momento, el director asomó la cabeza por la ventana.

—¡NIÑOS! —gritó a pleno pulmón. En el patio reinaba un silencio sepulcral—. ¿Quién ha chutado esta pelota?

Sostenía la pelota de tenis entre los dedos con la misma cara de asco que ponen los dueños de los perros cuando se ven obligados a recoger sus cacas del suelo.

Dennis estaba demasiado asustado para abrir la boca.

—He hecho una pregunta. ¿QUIÉN LA HA CHUTADO?

Dennis tragó saliva.

—Yo no la he chutado, señor... —empezó, indeciso—, pero sí que le he dado con la cabeza.

—Te quedarás castigado después de clase, chico. Hasta las cuatro en punto.

—Gracias, señor —respondió Dennis, sin saber muy bien qué otra cosa decir.

—Por tu culpa, hoy nadie podrá jugar a nada en el patio —añadió el señor Hawtrey, y luego desapareció en el interior de su despacho.

Un suspiro de rabia y frustración recorrió el patio de recreo. Dennis detestaba que los profesores hicieran eso, que castigaran a toda la escuela para que tus compañeros te cogieran manía. Era un golpe bajo.

—No te preocupes, Dennis —dijo Darvesh—. Todo el mundo sabe que el señor Hawtrey es un pedazo de...

—Ya, ya lo sé.

Se sentaron encima de sus mochilas, junto al muro del edificio de ciencias, abrieron las fiambreras y devoraron los sándwiches que habían llevado para almorzar.

Dennis no le había contado a Darvesh que había comprado el *Vogue*, pero quería averiguar qué opinaba su amigo al respecto. Sin delatarse, eso sí.

Darvesh era sij. Iba al mismo curso que Dennis y, como solo tenía doce años, aún no llevaba turbante, sino una *patka*, una especie de faja que se anudaba en lo alto de la cabeza y mantenía el pelo alejado de la cara. Lo hacía porque los hombres sij no pueden cortarse el pelo. En la escuela de Dennis había chicos de todas las razas y religiones, pero Darvesh era el único que llevaba *patka*.

—¿Alguna vez te has sentido distinto, Darvesh? —preguntó Dennis.

—¿En qué sentido?

—Bueno, es que... ya sabes, eres el único chico de toda la escuela que tiene que llevar un chisme de esos en la cabeza.

—Ah, lo dices por eso. Bueno, cuando estoy con mi familia no, claro. Y cuando mi madre me llevó a la India por Navidad para visitar a la abuela, menos aún. Allí todos los chicos llevan *patka*.

—¿Y en la escuela?

—Al principio, sí. Me daba un poco de corte porque sabía que me hacía parecer distinto.

—Ya.

—Pero luego, a medida que la gente me fue conociendo, supongo que se dio cuenta de que, en el fondo, no soy tan distinto. ¡Quitando este chisme que llevo en la cabeza! —dijo entre risas.

Dennis también se reía.

—Sí, yo te veo como mi colega y punto. No me paro a pensar en eso que llevas en la cabeza, ni mucho menos. De hecho, me encantaría tener uno de esos chismes.

—Ni se te ocurra. ¡No veas lo que pica! Pero si todos fuéramos iguales la vida sería muy aburrida, ¿no crees?

—Desde luego que sí —contestó Dennis con una sonrisa.

5

Simples garabatos

Dennis nunca se había quedado castigado después de clase, así que hasta podría decirse que le hacía ilusión. Cuando entró en el aula 4C para presentarse ante la profesora de francés, la señorita Windsor, vio que solo había otra persona castigada a pasar una hora allí encerrada. Y era Lisa.

Lisa James.

Sencillamente la chica más guapa de la escuela.

También era una de las más guays, y siempre se las arreglaba para que su uniforme pareciera un modelito sacado de algún videoclip. Dennis nunca había hablado con ella, pero se moría por sus huesos.

Sin embargo, tenía claro que nunca podría haber nada entre ambos, ya que Lisa era dos años mayor y quince centímetros más alta que él, lo que la hacía literalmente inalcanzable.

—Hola —dijo Lisa. Tenía una voz preciosa, un poco ronca pero dulce a la vez.

—Ah, hola... hum... —Dennis fingió no recordar su nombre.

—Lisa. ¿Tú cómo te llamas?

Por unos instantes Dennis pensó en cambiar su nombre de pila por otro más molón, como Brad o Dirk, para tratar de impresionarla, pero se dio cuenta de que eso sería una locura.

—Dennis.

—Hola, Dennis —dijo Lisa—. ¿Por qué te han castigado?

—Metí una pelota en el despacho de Hawtrey de un cabezazo.

—¡Genial! —exclamó Lisa entre risas.

Dennis también soltó una risita. Lisa daba por hecho que lo había hecho adrede, y no sería él quien la sacara de su error.

—¿Y a ti? —preguntó Dennis.

—Me han castigado «por no llevar el uniforme escolar reglamentario». Esta vez Hawtrey ha dicho que mi falda es demasiado corta.

Dennis echó un vistazo a la falda de Lisa. Corta sí que era, desde luego.

—La verdad es que me da igual —continuó la chica—. Prefiero ponerme lo que me apetece y que me castiguen de vez en cuando.

—Lo siento —interrumpió la señorita Windsor—, pero se supone que no podéis hablar mientras estáis castigados.

La señorita Windsor era una de las profesoras más simpáticas de la escuela, de las pocas que no disfrutaba regañando a los alumnos. Por lo general siempre decía «lo siento» o «perdona» antes de soltar la reprimenda. Tendría poco menos de cincuenta años, no llevaba anillo de casada ni parecía tener hijos. Presumía de cierta sofisticación francesa, se echaba coloridos pañuelos de seda por encima del hombro con afectado descuido y para desayunar devoraba de cuatro en cuatro los cruasanes de Tesco Metro.

—Lo siento, señorita Windsor —se disculpó Lisa.

Dennis y ella intercambiaron una sonrisa. Luego él se volvió de nuevo hacia su cuaderno.

No volveré a tirar la pelota a la ventana del director.

No volveré a tirar la pelota a la ventana del director.

No volveré a tirar la pelota a la ventana del director.

Miró de reojo lo que estaba haciendo Lisa. En lugar de repetir una frase, dibujaba patrones de moda. Había un vestido de fiesta con la espalda escotada que bien podría haber salido de las páginas de *Vogue*. Lisa pasó la página y se puso a dibujar un top palabra de honor y una falda de tubo. Junto a estos hizo un traje blanco, largo y vaporoso, que se ceñía y se apartaba del cuerpo justo donde hacía falta. Era evidente que tenía mucho ojo para la moda.

—Perdona, Dennis —dijo la señorita Windsor—, pero deberías concentrarte en tu propio trabajo.

—Lo siento, señorita —se disculpó Dennis, y se puso a escribir otra vez.

No volveré a tirar la pelota a la ventana
    del director.
No volveré a tirar el Vogue a la ventana
    del director.
No volveré a tirar el Vogue a la ventana...

Con un suspiro de resignación, Dennis borró los últimos renglones. Estaba distraído.

Cuando habían pasado unos tres cuartos de hora, la señorita Windsor consultó su reloj de pulsera con nerviosismo y luego se dirigió a los dos alumnos.

—Lo siento —empezó—, pero ¿os importaría que os levantara el castigo quince minutos antes de lo previsto? Es que me gustaría llegar a casa a tiempo para ver *Neighbours*. Hoy la cafetería de Lassiter vuelve a abrir sus puertas después del terrible incendio.

—Ningún problema, señorita —contestó Lisa, sonriendo—. No se preocupe, ¡no se lo diremos a nadie!

—Gracias —dijo la señorita Windsor, confusa por unos instantes, como si se hubiesen cambiado las tornas y fueran Dennis y Lisa quienes le levantaran el castigo a ella.

—¿Quieres acompañarme a casa, Dennis? —preguntó Lisa.

—¿Qué? —replicó el chico, presa del pánico.

—He dicho que si quieres acompañarme a casa.

—Hum, sí, vale —contestó Dennis, tratando de ocultar su euforia.

Se sentía como una celebridad mientras avanzaba calle abajo al lado de Lisa. Intentaba caminar despacio para poder pasar con ella todo el tiempo posible.

—No he podido evitar fijarme en tus bocetos. Esos vestidos que has dibujado. Son una pasada —dijo Dennis.

—Ah, gracias. En realidad no son gran cosa, simples garabatos.

—Y me encanta tu tipo.

—Gracias —contestó Lisa, intentando no reírse.

—Quiero decir «estilo» —corrigió Dennis—. Me encanta tu estilo.

—Gracias de todos modos —dijo Lisa, volviendo a sonreír. Estaba tan increíblemente guapa cuando sonreía que Dennis apenas podía sostenerle la mirada, así que bajó la vista hasta sus zapatos y se dio cuenta de que tenían punteras redondas.

—Bonitos zapatos —dijo.

—Vaya, gracias por fijarte.

—Parece que este año se llevan los zapatos con las punteras redondas. Los puntiagudos ya son historia.

—¿Dónde has leído eso?

—En el *Vogue*. Quiero decir...

—¿Lees el *Vogue*?

Dennis contuvo la respiración. ¿Había dicho eso? Era tal su emoción por estar con Lisa que se había ido de la lengua sin querer.

—Hum... no... estooo... Bueno, sí, una vez.

—Me parece genial.

—¿Lo dices en serio? —preguntó Dennis, sin acabar de creérselo.

—Pues sí. Tendría que haber muchos más chicos que se interesaran por la moda.

—Sí, supongo... —contestó Dennis. No estaba seguro de si le interesaba el mundo de la moda o sencillamente le gustaba mirar fotos de vestidos bonitos, pero decidió no comentárselo.

—¿Tienes un diseñador preferido? —preguntó Lisa.

Dennis nunca se lo había planteado, pero recordó que le había gustado muchísimo uno de los modelos de la revista, un vestido de fiesta de color crema que llegaba hasta el suelo, diseñado por un tal John Galli... algo.

—John Gallialgo —contestó.

—¿John Galliano? Sí, es increíble. Toda una leyenda. Es él quien diseña todas las piezas de Dior.

A Dennis le encantaba que hablara de «piezas». Era la misma palabra que empleaban en *Vogue* para referirse a las prendas de ropa.

—Bueno, aquí vivo yo. Gracias, Dennis. Hasta luego —se despidió Lisa. Dennis se llevó un pequeño chasco al darse cuenta de que el paseo había llegado a su fin. Lisa se fue hacia la puerta, pero se detuvo a medio camino—. Podrías venir a verme el fin de semana, si te apetece —dijo—. Tengo montones de revistas de moda chulas que podría enseñarte. Lo que más deseo en el mundo es convertirme en diseñadora de moda, asesora de estilo o algo así.

—Bueno, estilo no te falta, desde luego —respondió Dennis. Lo decía de corazón, aunque por algún motivo sonó como si le estuviera haciendo la pelota.

—Gracias —dijo Lisa.

Ella sabía de sobra que si algo no le faltaba era estilo.

Todo el mundo lo sabía.

—Mañana es sábado. ¿Te va bien quedar a eso de las once?

—Hum... Creo que sí —contestó Dennis.

Como si algo pudiera impedir que se plantara delante de su casa a las once en punto.

—Pues nos vemos mañana —dijo ella, y con una sonrisa desapareció tras la puerta.

Y así, sin previo aviso, el mundo de Dennis volvió a la normalidad, como cuando estás en el cine y las luces se encienden al acabar la película.

6

Cuando el tiempo pasa volando

A las 10.59 de la mañana Dennis estaba delante de la casa de Lisa. Ella había dicho a las once, pero él no quería parecer demasiado ansioso por verla, así que esperó, contando en su reloj los segundos que faltaban para llegar a las once en punto.

54.

55.

56.

57.

58.

59.

00.

Llamó al timbre. Oyó el sonido amortiguado de la voz de Lisa mientras bajaba la escalera y, en cuanto vio su silueta borrosa al otro lado del cristal de la puerta, su corazón empezó a latir a toda prisa.

—Hey... —saludó ella, sonriendo.

—Hey... —contestó él. Era la primera vez que le decía «Hey» a alguien, pero quería ser como Lisa.

—Pasa —dijo ella, y Dennis la siguió hasta el interior de la casa, que era muy parecida a la suya, pero mientras que la de Dennis parecía triste y oscura, la de Lisa rebosaba luz y color. En las paredes había cuadros y fotos de familia colgados sin orden ni concierto, y en el recibidor flotaba un dulce aroma a pastel recién horneado.

—¿Te apetece tomar algo?

—¿Una copa de vino blanco, quizá? —sugirió Dennis, tratando de comportarse como si tuviera el triple de su edad.

Por un momento Lisa pareció confusa.

—No tengo vino. ¿Te apetece otra cosa?

—¿Un zumo de fruta?

Lisa arqueó las cejas.

—Creo que nos queda algo de zumo.

Encontró un cartón y sirvió un par de vasos. Luego se fueron los dos arriba, a su habitación.

Nada más verla, Dennis se enamoró de la habitación de Lisa. En realidad le habría gustado tener una igual. Las paredes estaban llenas de fotos sacadas de revistas de moda, con modelos preciosas posando en escenarios maravillosos. En los estantes había libros de moda o de grandes estrellas del cine, como Audrey Hepburn o Marilyn Monroe. En un rincón había una máquina de coser, y una gran pila de *Vogue* junto a la cama.

—Las colecciono —dijo ella—. Hasta tengo una edición italiana. Cuesta mucho encontrarla aquí, pero es una pasada. El mejor *Vogue* es el italiano. ¡Eso sí, pesa como un muerto! ¿Te gustaría verlo?

—Me encantaría —dijo Dennis. No tenía ni idea de que se publicaran distintas ediciones de *Vogue* por todo el mundo.

Se sentaron los dos en la cama de Lisa y fueron pasando las páginas despacio. El primer reportaje de moda era en color, pero solo salían vestidos blancos o negros, o que mezclaran ambos colores.

—Uau, ese vestido es increíble —dijo Dennis.

—Chanel. Seguramente cuesta un ojo de la cara, pero es precioso.

—Me encantan las lentejuelas.

—Y esa abertura lateral... —Lisa suspiró, deslizando los dedos por la página con aire soñador.

El tiempo pasó volando mientras estudiaban cada página y comentaban hasta el último detalle de cada prenda. Cuando llegaron al final, tenían la sensación de que eran viejos amigos.

Lisa sacó otra revista para enseñar a Dennis uno de sus reportajes de moda preferidos, aunque ella los llamaba «sesiones». Era de un viejo *Vogue* británico en el que salían montones de modelos con pelucas y vestidos metalizados. Parecía una escena sacada de una vieja peli de ciencia ficción. A Dennis le encantó la extravagancia de aquellos trajes de fantasía, tan alejada de la fría y gris realidad de su propia vida.

—Ese vestido dorado te sentaría de muerte —dijo, señalando a una chica con un color de pelo similar al de Lisa.

—Le sentaría bien a cualquiera. Es un vestido increíble. Yo no podría permitirme ninguno de estos modelos, pero me gusta mirar las fotos y sacar ideas para mis propios diseños. ¿Te apetece verlos?

—¡Pues claro! —exclamó Dennis, entusiasmado.

Lisa bajó del estante un gran álbum de recortes. Estaba repleto de magníficos dibujos de faldas, blusas, vestidos y sombreros hechos por ella. Además, había pegado montones de cosas en el papel, junto a los bocetos: retales de tela brillante, imágenes del vestuario de alguna película e incluso botones.

Dennis impidió que Lisa pasara la página al ver un patrón especialmente bonito. Era un vestido cubierto de lentejuelas de color naranja.

—Este es espectacular —dijo.

—¡Gracias, Dennis! Me gusta mucho cómo ha quedado. Es lo que tengo entre manos ahora mismo.

—¿De verdad? ¿Me dejas verlo?

—Por supuesto.

Lisa rebuscó en su armario y sacó el vestido a medio coser.

—La tela fue una auténtica ganga. La compré aquí en el barrio, en el mercado —comentó—. Pero creo que va a quedar muy bien. Es un poco setentero, diría yo. Tiene mucho encanto.

Lisa levantó el vestido, sosteniéndolo por la percha. Aunque faltaba rematar las costuras y tenía unos pocos hilos sueltos, estaba cubierto por cientos de pequeñas lentejuelas redondas y destellaba a la luz del sol.

—Es una pasada... —dijo Dennis.

—¡Pues te quedaría divino! —bromeó Lisa entre risas, y acercó el vestido a Dennis.

Él también se rió y luego contempló la prenda, permitiéndose imaginar por unos instantes qué tal le sentaría, aunque no tardó en descartar la idea.

—Es realmente precioso —insistió—. Pero no es justo, ¿no crees? Me refiero a que la ropa de chico es de lo más aburrida.

—A mí lo que me parece aburrido son todas esas reglas. Las que dicen lo que la gente puede o no puede vestir. Todo el mundo debería poder ponerse lo que le apetezca.

—Sí, supongo que sí —dijo Dennis.

Nadie lo había animado jamás a pensar de ese modo. Lisa tenía razón. ¿Qué había de malo en ponerse la ropa que a uno le gustaba?

—¿Por qué no te lo pruebas? —sugirió Lisa con una sonrisa traviesa.

Por un momento se hizo el silencio.

—Seguramente es una idea descabellada —añadió Lisa al darse cuenta de lo incómodo que estaba

Dennis—. Pero hay vestidos que son verdaderas joyas, y ponérselos es divertido. A mí me encanta probarme vestidos bonitos, y apuesto que a más de un chico le gustaría también. No pasa nada.

El corazón de Dennis latía como si fuera a salírsele del pecho. Quería decir que sí, pero no podía. Sencillamente no podía. Aquello se le estaba yendo de las manos.

—Tengo que marcharme —dijo de pronto.

—¿En serio? —preguntó Lisa, decepcionada.

—Sí, lo siento, Lisa.

—Pero ¿vendrás a verme otro día? Hoy me lo he pasado muy bien. La semana que viene sale el nuevo número de *Vogue*. ¿Por qué no vuelves el sábado?

—No sé... —farfulló Dennis mientras se iba a toda prisa—. Pero gracias de nuevo por el zumo.

7

Viendo como la luz se cuela entre las cortinas

—¡Feliz cumpleaños, papá! —exclamaron Dennis y John, entusiasmados.

—No me gustan los cumpleaños —refunfuñó su padre.

La sonrisa de Dennis se desvaneció. El domingo siempre era el peor día de la semana para él. Sabía que montones de familias se sentaban alrededor de la mesa para compartir el asado dominical, y eso le recordaba los tiempos en que su madre vivía con ellos. Las pocas veces que su padre intentaba prepararles un asado la echaban de menos más que nunca. Era como si mentalmente todos ellos pusiesen otro cubierto en la mesa para alguien a quien querían y que no estaba presente.

Eso por no decir que cocinar no era su fuerte.

Pero ese domingo fue peor aún de lo habitual, pues era el cumpleaños del padre de Dennis y este estaba decidido a no celebrarlo.

Dennis y John llevaban todo el día deseando felicitarlo. El hombre se había ido a trabajar muy temprano y no había vuelto a casa hasta las siete. Los chicos habían bajado a la cocina sin hacer ruido para darle una sorpresa y lo habían encontrado sentado, solo. Llevaba puesta la misma chaqueta roja de cuadros escoceses de siempre y tenía delante una lata de cerveza barata y una bolsa de patatas fritas.

—¿Por qué no os vais a jugar, chicos? Me apetece estar solo.

La tarjeta y el pastel que Dennis y John tenían en las manos parecieron esfumarse en cuanto oyeron las palabras de su padre.

—Lo siento, chicos —añadió el hombre, dándose cuenta de lo dolidos que estaban—. Es que tampoco hay mucho que celebrar, ¿no creéis?

—Te hemos comprado una tarjeta, papá. Y un pastel —contestó John.

—Gracias.

Abrió la tarjeta. Era del quiosco de Raj y en ella había un gran oso sonriente que llevaba bermudas y gafas de sol, no me preguntéis por qué. Dennis la

había elegido porque ponía «Feliz cumpleaños al mejor padre del mundo».

—Gracias —dijo el hombre al leerla—. Pero no me la merezco. No soy el mejor padre del mundo.

—Sí que lo eres, papá —replicó Dennis.

—Nosotros creemos que sí lo eres —añadió John tímidamente.

El hombre volvió a mirar la tarjeta. Dennis y John pensaban que se alegraría al verla, pero al parecer había tenido el efecto contrario.

—Lo siento, chicos, pero es que resulta difícil celebrar los cumpleaños desde que... ya sabéis, desde que vuestra madre se fue.

—Lo sé, papá —dijo Dennis.

John asintió e intentó sonreír.

—Dennis ha marcado un gol hoy, con el equipo de la escuela —dijo John, tratando de cambiar de tema y hablar de algo alegre.

—¿Es eso cierto, hijo?

—Sí, papá —respondió Dennis—. Hoy era la semifinal, y hemos ganado dos a uno. Yo he marcado un gol, y Darvesh, el otro. Hemos pasado a la final.

—Eso está muy bien —musitó su padre con la mirada perdida. Le dio otro sorbo a la cerveza—. Lo siento. Solo necesito quedarme un ratito a solas.

—De acuerdo, papá —contestó John, indicando por señas a Dennis que debían marcharse.

Dennis posó la mano levemente en el hombro de su padre, antes de salir de la cocina. Lo habían intentado. Pero los cumpleaños, la Navidad, las vacaciones o incluso ir a pasar el día junto al mar eran cosas que, poco a poco, habían ido perdiendo. Era su madre quien se encargaba de organizarlas, y en ese momento era como si hubiesen ocurrido en otra vida. Su hogar se estaba convirtiendo en un lugar muy frío y gris.

—Necesito un abrazo —dijo Dennis.

—Pues yo no pienso dártelo.

—¿Por qué no?

—Soy tu hermano. No pienso abrazarte. Se me haría raro. Además, tengo que irme. Les he dicho a los chicos que iría a pasar un rato con ellos delante de la tienda de licores.

Dennis también necesitaba salir de casa.

—Pues yo me voy a casa de Darvesh. Nos vemos luego.

Mientras cruzaba el parque, se sintió fatal por dejar a su padre solo en la cocina. Deseó poder hacerlo feliz.

—¿Qué pasa? —le preguntó Darvesh mientras veían vídeos de YouTube en su habitación.

—Nada —contestó Dennis sin demasiada convicción. No se le daba bien mentir, pero mentir es una de esas cosas que está bien que no se te den bien.

Yo personalmente no he mentido en mi vida.

Excepto en la frase anterior.

—Te veo bastante... distraído.

Era cierto. Dennis no lograba concentrarse en nada. No solo porque estuviera pensando en su padre, sino porque no podía quitarse de la cabeza aquel vestido de lentejuelas de color naranja.

—Lo siento. Darvesh, seguiremos siendo amigos pase lo que pase, ¿verdad?

—Por supuesto.

—¡Darvesh, Dennis! ¿Os apetece un refrescante vaso de Lucozade? —preguntó la madre de Darvesh a gritos desde la habitación de al lado.

—¡No, gracias! —contestó Darvesh también a grito pelado, y luego soltó un profundo suspiro.

Dennis se limitó a sonreír.

—¡Es una bebida energética! ¡Os dará fuerzas para la final! —fue su insistente respuesta.

—¡De acuerdo, mamá, quizá más tarde!

—¡Así me gusta! Estaré muy orgullosa de vosotros si ganáis. Aunque ya sabéis que también lo estaré si perdéis.

—Sí, sí... —contestó Darvesh—. Siempre me tiene que poner en evidencia.

—Eso es porque te quiere —dijo Dennis.

Darvesh se quedó callado unos instantes, y Dennis aprovechó para cambiar de tema.

—¿Puedo probarme tu chisme de la cabeza? —preguntó.

—¿Mi *patka*?

—Sí, tu *patka*.

—Claro, si estás seguro de que quieres hacerlo. Creo que tengo una de recambio por aquí —dijo Darvesh mientras rebuscaba en un cajón hasta que encontró otra faja de tela. Se la dio a Dennis, que se la puso con mucho cuidado.

—¿Qué tal estoy? —preguntó Dennis.

—¡Un poco ridículo, la verdad!

Los dos chicos rompieron a reír a carcajadas. Luego Darvesh se quedó pensativo durante un momento.

—Oye, que lleves una *patka* no te convierte en sij, ¿sabes? Si te la pones tú es solo un pañuelo. Es como si te disfrazaras, ¿entiendes?

Dennis se fue a casa sintiéndose un poco más animado. Hasta se había reído con algunos de los vídeos tontorrones que habían encontrado, sobre todo con uno de un gato que trepaba por el cuerpo de un bebé y plantaba el trasero en la cara del pequeño.

Sin embargo, cuando entró en casa vio que su padre seguía sentado a la mesa de la cocina, tal como lo habían dejado. Se había servido otra lata de cerveza pero no había probado las patatas fritas, que se habían reblandecido.

—Hola, papá —dijo Dennis, intentando sonar como si se alegrara de verlo.

Su padre levantó la vista un momento y luego soltó un profundo suspiro.

John ya se había ido a la cama. Cuando Dennis subió a la habitación, su hermano ni siquiera se molestó en dirigirle la palabra. Con los dos allí tumbados, el silencio era ensordecedor. No había nada que pudieran decirse. Dennis no lograba pegar ojo, así que se pasó toda la noche viendo como la luz se iba colando entre las cortinas.

Solo una cosa impedía que se quedara sin aire: pensar en Lisa, en el mundo que ella le había descubierto y en ese vestido de lentejuelas naranja, destellando al sol como si estuviera hecho de diamantes...

8

Tumbado en la moqueta con Lisa

Lisa sostuvo el vestido de lentejuelas naranja.

—¡Lo he terminado! —anunció.

Era el sábado siguiente, Dennis estaba de nuevo en la habitación de su amiga y ambos llevaban un buen rato empapándose del nuevo número de *Vogue* cuando ella decidió darle una sorpresa.

El vestido era perfecto.

—Es la cosa más preciosa... —murmuró Dennis— que he visto en toda mi vida.

—Vaya, ¡gracias, Dennis! —dijo Lisa soltando una risita, ruborizada por el cumplido—. En realidad quiero que te lo quedes. Es un regalo.

—¿Para mí? —preguntó Dennis.

—Sí, Dennis. Como te gusta tanto, quiero que lo tengas.

—No puedo...

—Sí que puedes.

Lisa le tendió el vestido.

—Hum... Gracias, Lisa —dijo Dennis, cogiéndolo de sus manos.

Era más pesado de lo que había imaginado, y al tocar las lentejuelas pensó que nunca había experimentado nada igual. Aquel vestido era una obra de arte. Sencillamente el mejor regalo que le habían hecho jamás. Pero ¿dónde lo guardaría? No podía llegar a casa y colgarlo al lado de su anorak en el armario que compartía con John.

¿Y qué iba a hacer con él?

—¿Por qué no te lo pruebas? —propuso Lisa.

Dennis sintió que el corazón le daba un vuelco. Supo cómo debía sentirse un nuevo compañero del Doctor Who cuando estaba a punto de entrar en la *Tardis* por primera vez. Aquello sí que sería como viajar a otra dimensión.

—Será divertido —añadió Lisa.

Dennis miró el vestido. Le apetecía probárselo.

—Bueno..., si estás segura...

—Estoy segura.

Dennis cogió aire.

—Pero solo me lo pondré un momento —dijo.

—¡Así se habla!

Dennis empezó a quitarse la ropa, y de pronto le entró mucha vergüenza.

—No sufras, no miraré —dijo Lisa, cerrando los ojos.

Dennis se desvistió hasta quedarse solo con los calzoncillos y los calcetines, y luego se puso el vestido, metiendo primero los pies y tirando de él hasta los hombros. El tacto era muy distinto al de su ropa de chico convencional. El roce de la tela en su piel, tan sedosa y suave, se le hacía muy extraño. Alargó la mano hacia atrás para tratar de cerrar la cremallera.

—No sé si voy a poder...

—Deja que te ayude —dijo la experta, abriendo los ojos—. Date la vuelta. —Le subió la cremallera de la espalda—. Te queda genial. ¿Qué tal te sientes con él?

—Bien. Me siento bien. —En realidad, se sentía más que bien; era una sensación maravillosa—. ¿Puedo mirarme en el espejo?

—Todavía no. ¡Te faltan los zapatos! —Lisa sacó unos espectaculares zapatos de tacón dorados con la suela roja—. Estos los compré en la tienda de segunda mano de Oxfam. ¡Son de Christian Louboutin, pero la viejecita de la tienda me los vendió por solo dos libras!

Dennis se preguntó si ese tal Christian Louboutin no querría recuperar sus zapatos algún día.

Se agachó para ponérselos.

—Será mejor que te quites esos calcetines primero —sugirió Lisa, mirando sus raídos calcetines grises. El dedo gordo de uno de los pies le asomaba por un agujero.

La verdad es que estropeaban todo el conjunto.

—Ah, sí, claro —dijo Dennis.

Se quitó los calcetines y metió los pies en los estrechos zapatos. Los tacones eran muy altos, y por un momento creyó que iba a desplomarse. Lisa le dio la mano para que no perdiera el equilibrio.

—¿Ya puedo mirarme en el espejo? —preguntó.

—Aún no te has puesto nada de maquillaje.

—¡No, Lisa, ni hablar!

—Esto hay que hacerlo como debe ser, Dennis. —Lisa cogió su neceser—. ¡Qué bien me lo estoy pasando! Siempre he querido tener una hermana pequeña. A ver, haz así con los labios. —Lisa abrió la boca como para pronunciar la letra «o» y Dennis la imitó. Entonces le aplicó el pintalabios con suavidad.

Era una sensación rara. Agradable, pero rara. Dennis no sabía que el pintalabios dejaba esa sensación pringosa, ni que tenía gusto a cera.

—¿Sombra de ojos?

—No, en serio, no creo que... —protestó Dennis.

—¡Solo un pelín!

Dennis cerró los ojos mientras ella le aplicaba sombra de ojos plateada dándole suaves toques con una brocha diminuta.

—Estás quedando monísimo, Dennis —le dijo—.
¿O debería llamarte... Denise?

—Así me llamó mi hermano cuando supo lo de
la revista.

—Bueno, es el femenino de tu nombre. Te llamas Dennis, pero si fueras una chica, serías Denise.

—¿Puedo verme ya? —preguntó.

Lisa ajustó el vestido con mano experta antes de guiar a Dennis en silencio hasta el espejo de cuerpo entero que había en una de las paredes. El chico observó su reflejo. En un primer momento lo que vio lo dejó boquiabierto. De la incredulidad pasó a la fascinación, hasta que al final se echó a reír. Estaba tan contento que tenía ganas de bailar. A veces sientes las cosas de un modo tan intenso que las palabras no bastan. Empezó a contonearse delante del espejo. Lisa se le unió, tarareando una melodía inventada.

Por un momento fueron los protagonistas de su propio y disparatado musical, hasta que se dejaron caer al suelo entre carcajadas.

—Entonces te gusta el vestido, ¿no? —preguntó Lisa, todavía riendo.

—Sí... Lo que pasa es que se me hace un poco...

—¿Raro?

—Sí. Un poco raro.

—Pero te queda bien —dijo Lisa.

—¿En serio? —preguntó Dennis. Estaba tan a gusto allí tumbado en la moqueta con Lisa que hasta le daba cosa, así que se levantó y volvió a mirarse en el espejo. Lisa lo siguió.

—En serio. De hecho, te queda genial —le aseguró—. ¿Sabes qué?

—¿Qué? —preguntó Dennis.

—Creo que podrías engañar a cualquiera vestido así. Nadie diría que no eres una chica.

—¿De verdad? ¿Estás segura?

Dennis volvió a observar su propio reflejo, esa vez entornando los ojos. Intentó imaginar que tenía delante a un perfecto desconocido.

Era verdad que parecía una chica...

—Sí —contestó Lisa—. Estoy segura. Estás que te sales. ¿Te apetece probarte alguna otra cosa?

—No sé si debo —contestó Dennis, sintiendo vergüenza de pronto—. Podría entrar alguien.

—Mis padres están en el centro de jardinería. ¡Es un muermo de sitio, pero a ellos les encanta! Créeme, no volverán a casa hasta dentro de unas horas.

—Bueno, podría probarme este... —insinuó Dennis, señalando un largo vestido violeta.

Lisa lo había hecho a imagen y semejanza de uno que llevaba Kylie Minogue en una ceremonia de entrega de premios.

—¡Gran elección!

Luego se probó un vestido corto de color rojo que la madre de Lisa le había comprado para ir a una boda, y después una minifalda amarilla abullonada de los años ochenta que su tía Sue le había pasado, y más tarde un vestido de inspiración marinera a rayas blanquiazules que Lisa había encontrado en una tienda de ropa de segunda mano.

Esa tarde, Dennis acabó probándose todo lo que había en el armario de Lisa. Zapatos dorados, plateados, rojos y verdes, botas, bolsos grandes, bolsos pequeños, bolsitos de fiesta, blusas, faldas largas con mucho vuelo, minifaldas, pendientes, pulseras, coleteros, alas de hada, ¡y hasta una tiara!

—No es justo —protestó Dennis—. ¡Las chicas se quedan todo lo mejor!

—Aquí dentro no hay reglas que valgan —contestó Lisa entre risas—. ¡Dennis, puedes ser quien te dé la gana!

9

Bonjour, Denise

A la mañana siguiente Dennis estaba tumbado en la cama, completamente inmóvil, pero se sentía como si estuviera montado en una montaña rusa. La cabeza le iba a mil por hora. Probarse la ropa de Lisa le había hecho sentir que no tenía que seguir siendo ese aburrido Dennis ni seguir llevando esa aburrida vida. «¡Puedo ser quien me dé la gana!», pensó.

Fue a ducharse. El baño era de un color verde apagado, como de pistacho. Dennis nunca había entendido por qué sus padres habían elegido un color tan vomitivo para el cuarto de baño. Si le hubiesen pedido su opinión, habría hecho poner una antigua bañera blanca y la habría completamentado con azulejos blanquinegros. Pero, como solo era un niño, nadie le pedía su opinión sobre nada.

Para usar la ducha se requería la precisión de un ladrón de cajas fuertes. Si girabas el mando un milímetro de más a la izquierda o a la derecha, el agua salía helada o hirviendo. Dennis situó el mando del grifo exactamente donde tenía que estar para no acabar muerto de frío ni escaldado, y se echó un poco de gel de ducha en la mano. Era lo que hacía todas las mañanas. Formaba parte de la aplastante rutina de su vida. Y, sin embargo, el mundo parecía distinto, rebosante de nuevas posibilidades.

Abajo, en la cocina, John estaba comiendo una tostada con crema de chocolate y viendo la reposición semanal de su serie preferida, *Hollyoaks*.

—¿Ya se ha ido papá? —preguntó Dennis.

—Sí, lo he oído salir a las cuatro. ¿No te ha despertado el ruido del camión?

—No, me parece que no.

—Dijo algo así como que tenía que levantarse temprano para llevar comida de gato a Doncaster.

Dennis pensó que la vida de camionero no era tan romántica como sonaba. Y tampoco es que sonara demasiado romántica, la verdad sea dicha.

Dennis se sirvió un bol de Rice Krispies y, justo cuando estaba a punto de llevarse la primera cucharada a la boca, sonó el timbre. Fue un timbrazo largo y sonoro, de alguien que no dudaba de sí mismo.

¡RRRRRIIIIIIIIIIIIIIIIIIIIIIIING!

Dennis y John tenían tanta curiosidad por ver quién llamaba a su puerta un domingo por la mañana que se levantaron de un brinco y fueron los dos a abrir. El cartero no trabajaba los domingos, ni ningún otro día por la mañana, dicho sea de paso, sino que hacía la ronda en algún momento de la tarde que le viniera bien.

No era el cartero.

Era Lisa.

—Hola —saludó la chica.

—Eeeh... —farfulló John, que de pronto parecía incapaz de unir dos sílabas.

Dennis sabía que su hermano tenía debilidad por Lisa porque siempre se la quedaba mirando embobado. Pero es que todo el mundo tenía debilidad por Lisa. Era tan increíblemente guapa que hasta las ardillas debían de contener la respiración cuando la veían pasar.

—Hum, ¿qué quieres? —preguntó John con torpeza, incapaz de comportarse como una persona medianamente normal estando tan cerca de aquella beldad.

—He venido a ver a Dennis —dijo ella.

—Ah —replicó John. Se volvió hacia Dennis con una mirada dolida e indignada, como de perro apaleado.

—Pasa —invitó Dennis, disfrutando de lo lindo al ver lo nervioso que se ponía John—. Estaba desayunando.

Dennis guió a Lisa hasta la cocina y se sentaron.

—Anda, me encanta *Hollyoaks* —comentó Lisa.

—Sí, a mí también —dijo Dennis.

John le lanzó una mirada asesina que venía a decir algo así como «¡Serás mentiroso! ¡Si nunca en tu vida te has interesado por la serie, y eso que la ponen desde hace años!».

Dennis no se dio por aludido.

—¿Te apetece comer algo? —le preguntó a Lisa.

—No, gracias, pero me encantaría tomar una taza de té.

—Guay —dijo Dennis, y puso agua a hervir.

John volvió a fulminarlo con la mirada. Esta venía a decir: «Tú nunca dices "guay". Estoy tan enfadado que no me va a quedar más remedio que arrancarte la cabeza de cuajo y usarla como pelota de fútbol».

—Ayer me lo pasé muy bien —dijo Lisa.

—Hum... sí —se limitó a contestar Dennis. No quería revelar demasiada información delante de su hermano—. Yo también me divertí mucho... —Sabía que John se estaba poniendo verde de envidia, así que añadió—: contigo.

—Estábamos a punto de salir. Hemos quedado para jugar al fútbol en el parque —anunció John, recalcando todas y cada una de sus palabras, como si lo que él decía fuera a misa, pero solo consiguió sonar ligeramente trastornado.

—Tú ve tirando —dijo Dennis—. Yo me quedaré aquí un rato charlando con Lisa.

Dennis miró a John y sonrió. Lisa también le sonreía.

Las sonrisas de ambos acompañaron a John hasta que salió de la cocina.

Cuando la puerta de la calle se cerró tras él, Lisa se echó a reír. Tanta intriga resultaba de lo más emocionante.

—Y bien, ¿qué tal te sientes hoy? —preguntó.

—Bueno... Me siento un poco... ¡genial! —dijo Dennis.

—He tenido una idea —reveló Lisa—. Es una locura, pero...

—Sigue.

—Bueno, ¿sabes lo que te dije ayer, que podrías hacerte pasar por una chica y nadie se daría cuenta?

—Sí... —contestó Dennis, algo nervioso.

—Pues resulta que algunos alumnos de la escuela acaban de hacer un intercambio con estudiantes franceses...

—¿Y...? —preguntó Dennis.

—Y... he pensado... Sé que es una locura, pero... He pensado que podría vestirte de chica, llevarte al quiosco de Raj y decir que eres mi amiga francesa del programa de intercambio o algo así. No tendrías que hablar demasiado porque, eso, ¡serías francesa!

—¡Sí, hombre! —exclamó Dennis. Sentía la euforia y el miedo de alguien al que acabaran de elegir para asesinar a un presidente.

—Podría ser divertido.

—Ni hablar del peluquín.

—Pero no me digas que no sería la bomba hacerte pasar por una chica.

—¡Es de locos! Voy al quiosco de Raj todos los días. Me reconocería al instante.

—Apuesto a que no —dijo Lisa—. Tengo una peluca que se compró mi madre para una fiesta de disfraces. Te maquillaría un poco, como ayer. Sería tan divertido... ¡hagámoslo hoy!

—¡¿Hoy?!

—¡Sí! Es domingo, así que habrá menos gente por la calle. Me he traído un vestido, porque tenía la esperanza de que dijeras que sí.

—No sé, Lisa. La verdad es que tengo un montón de deberes.

—Te he buscado un bolso y todo...

Diez minutos más tarde, Dennis se miró en el espejo del recibidor. Llevaba puesto un vestido corto azul eléctrico y sujetaba un bolso de fiesta plateado. Aquello parecía más un disfraz que otra cosa. Nadie en su sano juicio se vestiría así para ir al quiosco un domingo por la mañana.

Y mucho menos un chico de doce años.

Pero se lo pasaba tan bien mientras Lisa se ocupaba de él, maquillándolo, apretujándole los pies en un par de zapatos de tacón plateados a juego con el bolso y peinándole la peluca, que ni siquiera protestó.

—¿De verdad crees que Raj se va a tragar que soy tu amiga francesa? —preguntó.

—Estás espectacular. Y en el fondo todo depende del morro que le eches. Si tú te lo crees, todo el mundo lo creerá.

—Puede...

—Venga, a ver qué tal caminas.

Dennis recorrió el pasillo de acá para allá a trompicones, imitando lo mejor que podía a las modelos que desfilaban sobre las pasarelas.

—Hummm... Me recuerdas a Bambi dando sus primeros pasos —dijo Lisa entre risas.

—Muchas gracias.

—Lo siento, es broma. Escucha, cuando llevas zapatos de tacón tienes que caminar con la espalda muy recta.

Dennis imitó la postura de Lisa y no tardó en sentirse un poco más seguro sobre los zapatos plateados.

—Pues la verdad es que me gusta esto de llevar tacones —dijo.

—Sí, es agradable sentirse un poco más alto. Y te hace unas piernas divinas.

—¿Denise también es un nombre de pila en francés? —preguntó.

—Cualquier cosa que digas con acento francés suena francés —contestó Lisa.

—Deniiise —dijo Dennis, sin poder contener la risa—. *Bonjour, je m'apelle Deniiise.*

—*Bonjour, Denise. Vous êtes très belle* —contestó Lisa.

—*Merci beaucoup, mademoiselle Lisa.*

Se echaron a reír los dos.

—¿Estás listo? —preguntó ella.

—¿Listo para...?

—Para salir a la calle.

—No, por supuesto que no lo estoy.

—¿Pero...?

—¡Pero lo haré!

Rompieron a reír otra vez. Lisa abrió la puerta y Dennis salió a la calle, donde lo recibió un sol radiante.

10

Fantasmitas con sabor a cebolletas en vinagre

Al principio Lisa le dio la mano a Dennis para que no perdiera el equilibrio. Después de unos cuantos pasos ya no se tambaleaba tanto y empezó a caminar con más gracia.

Eso de llevar tacones es algo que requiere práctica. No es que lo sepa de primera mano, queridos lectores. Me lo han contado.

No tardaron en llegar al quiosco de Raj. Lisa apretó la mano de Dennis para darle ánimos. Él respiró hondo y entraron los dos en la tienda.

—Buenos días tenga, señorita Lisa —dijo Raj con una sonrisa de oreja a oreja—. Me ha llegado el nuevo número del *Vogue* italiano. ¡No veas lo que pesa! ¡Como una losa! Lo he encargado especialmente para ti.

—Vaya, muchísimas gracias, Raj —contestó Lisa.

—¿Y a quién tenemos aquí?

—Ah..., es Denise, una amiga francesa del programa de intercambio de estudiantes... —dijo Lisa.

Raj observó a Dennis unos instantes. ¿Lo habrían engañado? Dennis tenía la boca reseca por culpa de los nervios.

—Encantado de conocerte, Denise, y bienvenida a mi quiosco —dijo Raj. Lisa y Dennis intercambiaron una sonrisa. Resultaba tan convincente como chica que Raj no sospechaba nada—. ¡Esta es posiblemente la mejor tienda de su clase que hay en Inglaterra! ¡Aquí podrás comprar todas las postales que quieras para enviar a casa!

Raj cogió un paquete de tarjetas postales en blanco.

—Aquí no hay fotos, Raj —dijo Lisa.

—Ya, ya, pero puedes aprovechar para dibujar paisajes de Londres. Tengo una oferta insuperable de rotuladores. Así que ¿eres francesa...?

—Sí —contestó Lisa en su lugar.

—*Oui* —añadió Dennis con timidez.

—Siempre he querido visitar Francia —aseguró Raj—. Eso queda en Francia, ¿verdad?

Lisa y Dennis se miraron con cara de no entender nada.

—Bueno, si puedo ayudarte en algo durante tu estancia en Inglaterra, señorita..., perdóname, no recuerdo tu nombre...

—Deniiise —contestó Dennis.

—Qué acento tan bonito tienes, señorita Denise.

—*Merci.*

—¿Qué ha dicho? —preguntó Raj.

—Ha dicho «gracias» —contestó Lisa.

—¡Ah, *merci, merci*! —dijo Raj, encantado con el descubrimiento—. ¡Ya sé hablar francés! Si puedo ayudarte en algo, por favor, no dudes en decírmelo. Oye, Lisa, antes de que os vayáis, hoy tengo unas ofertas especiales que me gustaría comentaros.

Lisa y Dennis pusieron los ojos en blanco.

—Nueve huevos Kinder al precio de ocho.

—No, gracias —dijo Lisa.

—*Non, merci* —añadió Dennis, envalentonado.

—Tengo unas fantásticas bolsas de fantasmitas con sabor a cebolletas en vinagre, apenas caducadas. Quince bolsas al precio de trece. Son un manjar típicamente británico. Tu amiga francesa tal vez los quiera probar y llevarse una caja para regalar a sus seres queridos.

—Gracias, Raj, pero solo me llevaré el *Vogue* italiano —respondió Lisa, dejando el dinero sobre el mostrador—. Hasta luego.

—*Au revoir* —añadió Dennis.

—Hasta luego, señoritas. Volved pronto.

Los dos amigos salieron de la tienda locos de alegría, correteando calle abajo y sujetando la pesada revista entre ambos. Raj salió tras ellos sosteniendo una caja de patatas fritas.

—¡Eres dura de pelar, Lisa! —dijo a gritos—. ¡De acuerdo, te daré otra caja de fantasmitas con sabor a rosbif totalmente gratis!

La voz de Raj resonó en la calle mientras Dennis y Lisa seguían corriendo, tan emocionados que les costaba respirar.

11

Estos tacones me están matando

—¡Lo has hecho, Dennis! —exclamó Lisa cuando los dos se sentaron en un murete para recuperar el aliento.

—¡Se lo ha creído de verdad! —respondió Dennis—. Es lo más divertido que he hecho... ¡en toda mi vida!

—¡Pues vámonos a dar una vuelta por el centro! ¡Debe de estar lleno de gente!

—Me encantaría, Lisa, ¡pero estos tacones me están matando! —se quejó Dennis.

—No es fácil ser una chica, ¿verdad? —preguntó ella.

—Pues no, no tenía ni idea de que vuestros zapatos dolieran tanto. ¿Cómo podéis llevarlos todos los días?

Se descalzó y se frotó los pies. Le dolían como si los hubiese metido en el torno de un herrero.

—Será mejor que volvamos, Lisa. De todos modos, tengo que cambiarme y reunirme con John en el parque. Se estará preguntando dónde me he metido.

—Vaya... —Lisa no podía disimular su decepción—. Mira que eres aguafiestas.

—¡Buenos días, Lisa!

Era Mac, un chico que iba al mismo curso que Lisa. Llegaba bufando y resoplando calle arriba solo para saludarla. Mac era uno de los chicos más gordos de la escuela, y sobrellevaba como podía las burlas que le hacían por ese motivo. Había salido del quiosco de Raj, al que visitaba todos los días, y llevaba una bolsa de chuches en la mano.

—Ah, hola —saludó Lisa alegremente, y volviéndose hacia Dennis susurró—: Tú tranquilo, déjame hablar a mí. —Levantando la voz, añadió—: ¿Qué tal, Mac? ¿Llevas algo interesante en esa bolsa?

A diferencia de la mayoría de sus compañeros de clase, Lisa llamaba a Mac por su nombre de pila y no por su apodo, «Big Mac con Patatas». A veces los niños se contagian la crueldad los unos a los otros sin detenerse a pensar en ello, tal como se contagiarían un resfriado, pero Lisa era distinta.

—Ah, no es más que mi desayuno, Lisa. Un par de bolsas de Maltesers, una chocolatina Toblerone, una Bounty, un puñado de gominolas, una bolsa de patatas fritas, siete bolsas de fantasmitas, que Raj tenía en oferta, una caja de huevos de chocolate y una lata de Coca-Cola *light*.

—¿*Light*? —preguntó Lisa.

—Sí, estoy intentando adelgazar —contestó Mac sin ironía.

—Bueno, te deseo suerte —dijo Lisa, casi sin ironía—. No todos podemos ser delgados, ya lo sabes.

—Puede que no. Qué guapa es tu amiga, ¿cómo se llama? —preguntó con una sonrisa mientras engullía un huevo de chocolate entero.

—Ah, es una estudiante francesa del programa de intercambio. Se llama Denise. Ha venido a pasar unos días conmigo.

Dennis sonrió a Mac con timidez. Este se lo quedó mirando fijamente sin parar de masticar. Pasó una eternidad hasta que logró tragar una cantidad de chocolate suficiente para que le permitiera poder volver a hablar.

—*Bonjour, Denise* —farfulló con la boca llena.

—*Bonjour, Mac* —contestó Dennis, rezando para que la conversación no fuera más allá de las cuatro palabras que sabía decir en francés.

—*Parlez-vous anglais?* —preguntó Mac.

—*Oui*, quiero decir, sí, un poco —contestó Dennis, imitando el acento francés.

—Una vez hice intercambio con un chico francés. Se llamaba Hervé. Era buen chaval, aunque olía un poco. Se negaba a ducharse, así que al final no hubo más remedio que bañarlo a manguerazo limpio en el jardín —contó Mac sin parar de masticar—. Hervé iba a clase conmigo. ¿Irás tú con Lisa a la escuela mañana? Espero que sí. En mi opinión, las chicas francesas son las más guapas del mundo.

Mientras decía esto, un hilillo de baba mezclada con chocolate le resbaló por la barbilla. Dennis miró a Lisa con cara de pánico.

—Hum, sí, por supuesto que Denise me acompañará a clase mañana —dijo ella.

—Ah, ¿sí? —preguntó Dennis, tan sorprendido que casi se le olvidó hablar con voz de chica y acento francés.

—Sí, por supuesto. Nos vemos mañana en clase, Mac.

—De acuerdo, chicas, *au revoir!* —dijo Mac, y se alejó calle abajo, meciendo alegremente su bolsa de chuches.

—¡Oh, no! —exclamó Dennis.

—¡Oh, sí! —replicó Lisa.

—¿Te has vuelto loca?

—Venga, por lo menos piénsatelo. ¿Y si pudieras engañar a todo el cole? Sería para partirse de risa, y nadie lo sabría excepto nosotros.

—Sería flipante, supongo... —murmuró Dennis, mientras una sonrisa afloraba a sus labios—. Si los profesores, mis amigos, mi hermano y todo el mundo creyera que soy una chica...

—¿Y bien...?

—¡Vale, pero si me buscas otros zapatos!

Quién iba a decirle, mientras volvía a casa caminando a trompicones con sus incómodos zapatos de tacón, que estaba a punto de pegarse la torta del siglo...

12

Otro mundo

—No me acabo de ver con estos zapatos —dijo Dennis.

—Te quedan perfectos. Ni siquiera se nota que son de horma ancha.

Era lunes por la mañana, y Lisa y Dennis estaban delante de la verja de la escuela. Dennis había vuelto a vestirse como Denise, con el vestido naranja que tanto adoraba. Tal vez fuera por las lentejuelas, o por los nervios, pero estaba sudando.

—No puedo hacerlo... —dijo Dennis.

—Todo irá sobre ruedas —le aseguró Lisa en susurros mientras alumnos y profesores entraban en la escuela—. No tienes que decir gran cosa. Aquí no hay nadie que sepa hablar francés. Lo suyo les cuesta hablar inglés.

Dennis estaba demasiado nervioso para reírle las gracias a Lisa.

—Engañar a Raj y a Mac es una cosa, pero ¿a toda la escuela? Antes o después alguien acabará reconociéndome, fijo...

—De eso nada. Estás tan distinto que nadie en su sano juicio diría que eres Dennis.

—¡Baja la voz!

—Perdona. Oye, confía en mí: nadie sospechará siquiera que no eres una chica. Pero podemos volver a casa, si quieres...

Dennis se lo pensó unos instantes.

—No. Eso sería de lo más aburrido.

Lisa se limitó a sonreír. Dennis le devolvió la sonrisa y entró en el patio taconeando muy decidido. Lisa tuvo que apretar el paso para no quedarse atrás.

—Relájate, anda —le dijo—. Eres una estudiante francesa de secundaria, no una supermodelo.

—Lo siento... Mejor dicho, *desolée*.

Algunos de los alumnos se paraban al verlas y se las quedaban mirando embobados. Los chicos siempre miraban a Lisa porque era increíblemente guapa, y a las chicas les gustaba comprobar qué llevaba puesto, incluso las que la envidiaban y decían que les caía mal aunque fuera mentira. Pero puesto que Lisa se había presentado en el cole con una alumna nueva que no llevaba uniforme, todos tenían incluso más motivos para comérsela con los ojos. Dennis notaba todas las miradas puestas en él, y le encantaba. Distinguió a Darvesh esperándolo fuera del aula, como siempre. A veces aprovechaban para jugar un ratito a la pelota antes de que sonara el timbre. Darvesh observó detenidamente a Dennis por un instante, y luego apartó la mirada. «Uau —pensó Dennis—. Ni siquiera mi mejor amigo me reconoce».

El aula de Lisa quedaba en la última planta del edificio principal de la escuela. Aunque John iba al mismo curso que ella, no estaban en la misma clase. Y los chicos que eran dos años mayores que Dennis no lo conocían, tal como él no los conocía a ellos, por lo que nunca se había fijado en la mayor parte de los compañeros de clase de Lisa. En una escuela de casi mil alumnos, era muy fácil pasar desapercibido.

A no ser, claro está, que fueras irresistiblemente guapo, como Lisa, o que hubieses metido el pito en un tubo de ensayo en plena clase de química, como Rory Malone.

Para cuando llegaron al aula, estaba sonando el timbre. Entraron justo cuando la tutora de Lisa, la señorita Bresslaw, empezaba a pasar lista. La señorita Bresslaw era una profesora de educación física a la que todos querían, pese a que tenía muy mal aliento. Decían las malas lenguas que en cierta ocasión había roto el cristal de una ventana de la sala de profesores con su halitosis, pero solo los alumnos de primero se lo creían.

—Steve Connor.

—Presente.

—Mac Cribbins.

—Presente.

—Louise Dale.

—Ajá.

—Lorna Douglas.

—Presente.

—Y Lisa James... Llegas tarde.

—Lo siento, señorita.

—¿Con quién has venido? —preguntó la profesora.

—Con mi amiga francesa del programa de intercambio de estudiantes, señorita. Se llama Denise.

—No me han informado de nada —protestó la señorita Bresslaw.

—Ah, ¿no? Lo siento. En su momento lo hablé con Hawtrey.

—Con el señor Hawtrey, querrás decir —corrigió la señorita Bresslaw.

—Perdón, con el señor Hawtrey, el tío ese que manda en la escuela. Lo hablé con él.

La señorita Bresslaw se levantó y se acercó a la recién llegada. Mientras escudriñaba a Dennis, le echaba el aliento a la cara. «Vaya peste», pensó Dennis. Olía a una mezcla de tabaco, café y caca. Dennis contuvo la respiración. Se dio cuenta de que estaba sudando la gota gorda. Temía que el maquillaje se le derritiera y formara un charco en el suelo. Un instante de silencio. Lisa sonrió. Finalmente la señorita Bresslaw le devolvió la sonrisa.

—Bueno, en ese caso no hay ningún problema —dijo—. Denise, siéntate, por favor. Bienvenida a la escuela.

—*Merci beaucoup* —contestó Dennis.

Lisa y él se sentaron juntos. La señorita Bresslaw siguió pasando lista.

Lisa buscó la mano de Dennis debajo de la mesa y se la estrechó suavemente para tranquilizarlo. Dennis le cogió la mano y se la apretó también, solo porque era agradable.

Mientras recorrían el pasillo para ir a clase de historia, Mac les dio alcance entre jadeos y resoplidos.

—Hola, chicas.

—Ah, hola, Mac —saludó Lisa—. ¿Cómo va el régimen?

—Despacio —contestó Mac mientras le quitaba el envoltorio a un Twix—. *Bonjour*, Denise —saludó, todo nervioso.

—*Bonjour* de nuevo, Mac —contestó Dennis.

—Hummm... Quería preguntarte si... Seguramente me dirás que no, pero si no tienes pensado hacer nada con Lisa al salir de clase, me preguntaba si te apetecería venir conmigo a comer un helado... o dos.

Dennis miró a Lisa con cara de pánico. Esta se hizo cargo de la situación.

—¿Sabes qué pasa, Mac? Denise y yo ya habíamos hecho planes para después de clase. Pero estoy segura de que le encantaría aceptar tu invitación. Quizá la próxima vez que venga de visita, ¿de acuerdo?

Mac parecía decepcionado, pero no dolido. Dennis estaba impresionado por el tacto con que Lisa lo había rechazado en su nombre.

—Entonces ya nos veremos un día de estos —dijo Mac. Sonrió tímidamente y se marchó, masticando el Twix y abriendo un Walnut Whip sobre la marcha.

Lisa esperó hasta estar segura de que Mac no podría oírlos, y entonces dijo:

—Está loquito por ti.

—¡Oh, no! —exclamó Dennis.

—No te preocupes, eso es buena señal —repuso Lisa—. De hecho, es fantástico. Significa que realmente das el pego como chica —añadió entre risas.

—No tiene gracia.

—Sí que la tiene —replicó Lisa, y volvió a reírse con ganas.

La primera clase del día, geografía e historia, transcurrió sin incidentes, aunque Dennis dudaba de que sus nuevos conocimientos sobre lagos con forma de herradura fueran a servirle de mucho en el futuro.

A no ser, claro está, que decidiera hacerse profesor de geografía.

También se salió con la suya en la segunda asignatura, física. Imanes y limaduras de hierro, ¡fascinante! Como chico, Dennis no entendía nada del tema, pero menos aún como chica. Estaba aprendiendo a marchas forzadas que:

Era mejor no abrir la boca en clase.

Debía acordarse de mantener las piernas cruzadas cuando llevaba puesto un vestido.

Y por encima de todo: ¡no debía mirar a los chicos a los ojos, porque podía resultar más atractivo de lo que creía!

La campana volvió a sonar, para alivio de Dennis. Era la hora del patio.

—Tengo que ir al servicio —anunció Dennis con cara de no poder esperar demasiado.

—Yo también —dijo Lisa—. Ven conmigo.

Lo cogió de la mano y juntos cruzaron la puerta del lavabo de chicas.

Y entraron en otra dimensión...

El lavabo de chicos era, ante todo, un lugar funcional. Uno entraba, hacía lo que tenía que hacer, como mucho escribía algo grosero sobre el señor Hawtrey en la puerta del escusado, y luego se marchaba. El lavabo de chicas, en cambio, parecía una fiesta.

No cabía un alfiler.

Docenas de chicas competían por el espacio alrededor de los espejos, mientras que otras charlaban con sus vecinas de escusado.

Lisa y Dennis se pusieron en la cola para entrar a uno de los cubículos. Dennis no estaba acostumbrado a esperar para hacer pipí, pero descubrió que le encantaba. Era fascinante ver como las chicas parloteaban entre ellas y revoloteaban de acá para allá. Cuando no había chicos delante, parecían comportarse de un modo muy distinto. Hablaban y se reían y lo compartían todo.

Las risas, los destellos, el glamour... ¡Aquello
era un mundo de ensueño!

Lisa se retocó los labios. Estaba a punto de guar-
dar el neceser en el bolso cuando se volvió hacia
Dennis.

—¿Quieres que te pinte los labios? —preguntó.

—Sí, claro, si eres tan amable —contestó Dennis con su mejor acento francés.

—Déjame ver... —dijo Lisa, rebuscando en el
bolso—. ¿Qué te parece si ahora probamos con
otro color?

—Yo tengo uno rosa que es divino, Lisa —dijo una de las chicas con voz cantarina.

—Yo me acabo de comprar una sombra de ojos nueva —añadió otra.

Antes de que Dennis pudiera abrir la boca, tenía a todas las chicas a su alrededor, desviviéndose por él, ayudando a aplicar delineador de labios, base de maquillaje, colorete, perfilador de ojos, rímel, pintalabios... de todo.

No se había sentido tan feliz desde hacía años. Todas esas chicas charlando con él, haciéndole sentirse especial... aquello era el paraíso.

13

Dos horas de francés

—Esto es un infierno —susurró Dennis.

—¡Calla! —ordenó Lisa.

—No me habías dicho que hoy tenías francés.

—No me acordaba.

—¿Que no te acordabas? —preguntó Dennis.

—Chisss. En realidad, tenemos dos horas seguidas de francés.

—¿Dos horas seguidas?

—*Bonjour, la classe* —saludó la señorita Windsor en voz alta al entrar.

Dennis rezó para que no lo reconociera de cuando el director lo había castigado.

—*Bonjour, mademoiselle* Windsor —saludaron todos al unísono. La señorita Windsor siempre empezaba la clase en francés, lo que daba la falsa impresión de que todos los alumnos dominaban esa lengua. De repente la profesora se fijó en una joven pintada como una puerta que llevaba un vestido de color naranja. En realidad lo raro hubiese sido que no se fijara en ella. Destacaba como una bola de espejos en medio del aula gris.

—*Et qui êtes-vous?* —preguntó.

Dennis se quedó mudo de pánico, con la terrible sensación de que estaba a punto de vomitar o hacerse pis encima, o ambas cosas a la vez, si es que eso era posible.

Frustrada por su silencio, la señorita Windsor dejó de hablar en francés, como se veía obligada a hacer nada más entrar en clase, y se pasó al inglés.

—¿Quién eres? —repitió.

Dennis seguía sin despegar los labios.

Todo el mundo miraba a Lisa, que tragó saliva.

—Es mi amiga alemana, señorita, del programa de intercambio de estudiantes —contestó.

—Creía que era francesa —apuntó Mac con toda su inocencia, farfullando un poco porque tenía la boca llena de chocolate.

—Ah, sí, perdón. Mi amiga francesa, quería decir. Gracias, Mac —añadió Lisa con ironía. Le lanzó una mirada asesina y Mac frunció el entrecejo, dolido. No entendía nada.

El rostro de la señorita Windsor se iluminó de alegría. No sonreía así desde que había conseguido que el comedor escolar sirviera baguettes.

—*Ah, mais soyez la bienvenue! Quel grand plaisir de vous accueillir dans notre humble salle de classe! C'est tout simplement merveilleux! J'ai tant de questions à vous poser. De quelle région de la France venez-vous? Comment sont les écoles là-bas?*

Quel est votre passe-temps favori? Que font vos parents dans la vie? S'il-vous-plaît, venez au tableau et décrivez votre vie en France pour que nous puissions tous en bénéficier. Ces élèves pourraient tirer grand profit d'un entretien avec une vraie française telle que vous! Mais rendez-moi un service, ne me corrigez pas devant eux!

Al igual que todos los demás alumnos de la clase, y de hecho que la mayoría de las personas que leen este libro —salvo los muy pero que muy listos y los franceses de nacimiento—, Dennis no tenía ni repajolera idea de lo que había dicho la señorita Windsor. Yo tampoco lo sé; le he pedido a un amigo que estudió francés que me lo traduzca. En pocas palabras, la señorita Windsor ha dicho que está encantada de tener a una auténtica francesa en su clase y le ha soltado una retahíla de preguntas sobre la vida en Francia. O eso o mi amigo me ha gastado una broma pesada y resulta que la señorita Windsor está divagando sobre sus episodios preferidos de *Bob Esponja* o algo por el estilo.

—Hum... *oui* —dijo Dennis, confiando en que, si no decía mucho más que «sí», no podía meterse en un lío demasiado grande.

Por desgracia, la señorita Windsor se iba animando por momentos, y condujo a Dennis hasta la pizarra sin dejar de hablar en francés.

—*Oui, c'est vraiment merveilleux. On devrait faire cela tous les jours! Faire venir des élèves dont le français est la langue maternelle! Ce sont les jours comme celui-ci que je me souviens pourquoi j'ai voulu devenir prof. S'il-vous-plaît, racontez-nous vos premières impressions de l'Angleterre.*

Dennis estaba plantado delante de toda la clase. Lisa lo miraba como si quisiera echarle una mano pero no fuera capaz de articular palabra.

Dennis se sintió como si estuviera debajo del agua o en una pesadilla. Estudió la inquietante calma que reinaba en el aula. Todo el mundo tenía los ojos clavados en él. Nada se movía excepto la mandíbula de Mac.

Los caramelos Rolo se te pegan en los dientes que no veas.

—¿Puedo hablar en inglés un momento? —preguntó Dennis imitando el acento francés.

La señorita Windsor parecía un poco sorprendida y un mucho decepcionada.

—Sí, por supuesto.

—Hummm... No sé cómo decir esto... educadamente, ¿se dice así?

—*Poliment, oui.*

—Madame Windsor —continuó Dennis—, su acento francés es pésimo. Sintiéndolo mucho, no he entendido ni una palabra de lo que ha dicho.

Algunos de los alumnos rompieron a reír sin compasión. Una lágrima asomó a los ojos de la señorita Windsor y rodó por una de sus mejillas.

—¿Se encuentra usted bien, señorita? ¿Necesita un pañuelo? —preguntó Lisa, y luego fulminó a Dennis con la mirada.

—No, no, estoy perfectamente. Gracias, Lisa. Es que se me ha metido algo en el ojo.

La señorita Windsor se quedó allí, tambaleándose, como si le hubiesen pegado un tiro pero no acabara de caer al suelo.

—Veamos... Sugiero que leáis un poco por vuestra cuenta y en silencio. Necesito salir un momento a tomar el aire.

La señorita Windsor se marchó del aula a trompicones, como si la bala se fuera abriendo paso lentamente hasta su corazón. Cerró la puerta tras de sí. Por un momento, hubo silencio. Luego, desde fuera, llegó un gemido estremecedor:

—¡Aaaaaaaaaaaaaaaaaaaaaaaaaaaaaaaaaay!

Y volvió a reinar el silencio.

Hasta que se oyó otro lamento:

—¡Aaaaaaaaaaaaaaaaaaaaaaaaaaaay!

Seguido de otro silencio y de un gemido más largo aún:

—¡Aaaaaaaaaaaaaaaaaaaaaaaaaaaaaaaaa
aaaaaaaaaaaaaaaaaaaaaaaaaaaaaaaaaaaaa
aaaaaaaaaaaaaaaaaaaaaaaaaaaaaaaaaaaa
aaaaaaaaaaaaaaaaaaaaaaaaaaaaaaaaaaaaaaaaaa
aaaaaaaaaaaaaaaaaaaaaaaaaaaaaaaaaaaaaaaa
aaaaaaaaaaaaaaaaaaaaaaaaaaaaaaaaaaaaaaaaaa
aaaaaaaaaaaaaaaaaaaaaaaaaaaaaaaaaaaaaaaaaaa

aa

aa

aaa

aaa

aa

aaa

aaaaaaaaaaaaaaaaaaaaaaaaaaaaaaaaa

aaaaaaaaaaaaaaaaaaaaaaaaaaaaaaaaaaaa

aaa

aa

aa

aa

aa

aa

aaaaaaaaaaaaaaaaaaaaaaaaaaaaaaaaaaaaaa

aa

aa

aa

aaaaaaaaaaaaaaaaaaaaaaaaaaaaaaaaaaa

aaaaaaaaaaaaaaaaaaaaaaaaaaaaaaaaaaaaaaaaaaaaaa
aaaaaaaaaaaaaaaaaaaaaaaaaaaaaaa
aaaaaaaaaaaaaaaaaaaaaaaaaaaaaaaaa
aaaaaaaaaaaaaaaaaaaaaaaaaaaaaaaaaaa
aaaaaaaaaaaaaaaaaaaaaaaaaaaaaaaaaaaay!

Los alumnos que antes se habían burlado de la profesora parecían ahora muy arrepentidos. Lisa miró a Dennis, que agachó la cabeza y regresó a su asiento arrastrando los tacones.

Pasaron unos pocos segundos más, que se hicieron eternos, hasta que la señorita Windsor regresó al aula. Tenía la cara roja e hinchada de tanto llorar.

—Bien, creo que... hum... Bien, veamos... Abrid vuestros libros de texto por la página cincuenta y ocho y contestad a las preguntas a, b y c.

Los alumnos se pusieron a ello, más silenciosos y obedientes que nunca.

—¿Le apetece un Rolo, señorita? —le preguntó Mac.

Nadie mejor que él para comprender el consuelo que podía brindar el chocolate en momentos de desesperación.

—No, gracias, Mac. No quiero perder el apetito. Hoy tengo *bœuf bourguignon...*

Nada más decirlo, la profesora rompió a llorar otra vez como una magdalena.

14

Como un manto de nieve

—¡Eres un pedazo de &**%$£%!

Vaya, lo siento. Ya sé que los niños de carne y hueso dicen palabrotas, pero no se pueden poner palabras malsonantes en un libro infantil. Por favor, perdonadme. Soy un verdadero %$£@$*&.

—No deberías decir palabrotas, Lisa —la regañó Dennis.

—¿Por qué no? —replicó Lisa, enfadada.

—Porque podría oírte algún profesor.

—Me da igual quién me oiga —refunfuñó Lisa—. ¿Cómo has podido hacerle eso a la pobre señorita Windsor?

—Lo sé... Me siento fatal...

—Seguro que no puede ni probar su *bœuf bourguignon* —le dijo Lisa mientras salían al concurrido patio de recreo.

Era la hora del almuerzo, y los alumnos se reunían en corros y charlaban entre risas, disfrutando de su hora de casi libertad. Los chicos jugaban a la pelota un poco por todas partes, y Dennis se habría unido a ellos si no hubiese sido porque llevaba puesta una peluca, maquillaje y un vestido de lentejuelas de color naranja.

Por no hablar de los tacones.

—A lo mejor puedo ir y pedirle perdón.

—¿A lo mejor? —preguntó Lisa—. Más te vale hacerlo. Vamos a ver si la encontramos en el comedor. Debería estar allí, a no ser que se haya tirado al Sena.

—Venga ya, no me hagas sentir peor.

Mientras cruzaban el patio, una pelota de fútbol pasó rodando por delante de ellos.

—¡Tíramela, guapa! —pidió Darvesh a gritos.

Dennis no pudo evitarlo, el impulso de chutar la pelota era demasiado fuerte.

—No te pases de listo —le advirtió Lisa mientras él echaba a correr tras el balón.

Pero Dennis no puedo reprimirse y lo persiguió como si le fuera la vida en ello. Paró la pelota con agilidad y luego cogió carrerilla para devolvérsela a su amigo.

Sin embargo, cuando fue a chutar, el zapato de tacón salió disparado. Dennis perdió el equilibrio y cayó de espaldas. En ese momento la peluca se le desprendió y fue a parar al suelo.

Denise volvió a convertirse en Dennis.

El tiempo pareció detenerse. Allí estaba él, en medio del patio de recreo, con un vestido y un solo zapato. El silencio cayó sobre el patio como un manto de nieve. Todo el mundo interrumpió lo que estaba haciendo y se volvió hacia él.

—¿Dennis...? —preguntó Darvesh, sin salir de su asombro.

—No, me llamo Denise —contestó él. Pero era demasiado tarde.

Dennis se sintió como si hubiese mirado a la Medusa, ese monstruo de la mitología griega que convertía a la gente en estatuas de piedra. No podía moverse. Miró a Lisa, que estaba pálida como la cera. Intentó sonreír.

Entonces, en medio del silencio, se oyó una carcajada.

Y luego otra.

Y otra más.

No era la clase de risa que celebra algo gracioso, sino una risa cruel, burlona, destinada a herir y humillar. Las carcajadas se hicieron cada vez más sonoras, y Dennis tuvo la sensación de que el mundo entero se reía de él.

Durante una eternidad.

¡Ja, ja, ja, ja, ja, ja, ja, ja, ja, ja, ja, ja,
ja, ja, ja, ja, ja, ja, ja, ja, ja, ja, ja, ja, ja,
ja, ja, ja, ja, ja, ja, ja, ja, ja, ja, ja, ja, ja, ja, ja,
ja, ja, ja, ja, ja, ja, ja, ja, ja, ja, ja, ja, ja, ja, ja,
ja, ja, ja, ja, ja, ja, ja, ja, ja, ja, ja, ja, ja,
ja, ja, ja, ja, ja, ja, ja, ja, ja, ja, ja, ja, ja, ja, ja, ja, ja,
ja, ja, ja, ja, ja, ja, ja, ja, ja, ja, ja, ja, ja, ja, ja,
ja, ja, ja, ja, ja, ja, ja, ja, ja, ja, ja, ja,
ja, ja, ja, ja, ja, ja, ja, ja, ja, ja, ja, ja, ja, ja, ja, ja,
ja, ja, ja, ja, ja, ja, ja, ja, ja, ja, ja, ja, ja, ja,
ja, ja, ja, ja, ja, ja, ja, ja, ja, ja, ja, ja,
ja, ja, ja, ja, ja, ja, ja, ja, ja, ja, ja, ja, ja, ja,
ja, ja, ja, ja, ja, ja, ja, ja, ja, ja, ja, ja, ja, ja, ja,
ja, ja, ja, ja, ja, ja, ja, ja, ja, ja, ja, ja, ja, ja, ja,
ja, ja, ja, ja, ja, ja, ja, ja, ja, ja, ja, ja,
ja, ja, ja, ja, ja, ja, ja, ja, ja, ja, ja, ja, ja, ja, ja,
ja, ja, ja, ja, ja, ja, ja, ja, ja, ja, ja, ja, ja, ja, ja,
ja, ja, ja, ja, ja, ja, ja, ja, ja, ja, ja, ja, ja, ja,
ja, ja, ja, ja, ja, ja, ja, ja, ja, ja, ja,
ja, ja, ja, ja, ja, ja, ja, ja, ja, ja, ja, ja, ja, ja, ja,
ja, ja, ja, ja, ja, ja, ja, ja, ja, ja, ja, ja, ja, ja,

ja, ja, ja, ja, ja, ja, ja, ja, ja, ja, ja, ja, ja, ja, ja, ja, ja, ja, ja, ja, ja, ja, ja, ja, ja, ja, ja, ja, ja, ja, ja, ja, ja, ja, ja, ja, ja, ja, ja, ja!

—¡Tú, chico! —bramó una voz desde el edificio de la escuela.

Las risas enmudecieron al instante, y todos los alumnos miraron en la dirección de la que provenía la voz. Era el señor Hawtrey, el director de corazón tenebroso.

—¿Es a mí, señor? —preguntó Dennis con mal fingida inocencia.

—Sí, es a ti. El chico del vestido.

Dennis miró a su alrededor, pero era el único chico que llevaba puesto un vestido.

—¿Sí, señor?

—Ven a mi despacho. AHORA MISMO.

Dennis empezó a caminar despacio hacia el edificio de la escuela. Todo el mundo lo observaba mientras avanzaba con su inseguro y tambaleante paso.

Lisa recogió el otro zapato.

—Dennis... —lo llamó.

Él se dio la vuelta.

—Tengo tu zapato.

Dennis empezó a volver sobre sus pasos.

—¡Olvídate de eso, chico! —berreó el señor Hawtrey. Le temblaba el bigotito de pura rabia.

Dennis soltó un suspiro y se fue chancleteando hasta el despacho del director.

Todo lo que había en el despacho era negro, o de un marrón muy oscuro. En los estantes se alineaban los historiales académicos encuadernados en piel junto con algunas fotos en blanco y negro de antiguos directores con cara de perro. A su lado, el señor Hawtrey parecía casi humano. Dennis nunca había estado en su despacho, pero tampoco era algo que deseara. Verlo por dentro solo podía querer decir una cosa.

Que te habías metido en un buen lío.

—¿Te has vuelto loco, chaval?

—No, señor.

—¿Y por qué llevas un vestido de lentejuelas?

—No lo sé, señor.

—¿Que no lo sabes?

—No, señor.

El señor Hawtrey se inclinó hacia delante.

—¿Te has puesto pintalabios?

Dennis tenía ganas de llorar. Pero, aunque el señor Hawtrey veía que Dennis tenía los ojos arrasados en lágrimas, continuó con su operación de acoso y derribo.

—Mira que andar por ahí disfrazado de chica, maquillado y con tacones... Es repugnante.

—Lo siento, señor.

Una lágrima rodó por la mejilla de Dennis. La atrapó con la lengua. Otra vez ese gusto amargo que tanto detestaba.

—Debería caérsete la cara de vergüenza —continuó el señor Hawtrey—. ¿No te da vergüenza?

Dennis no se había sentido avergonzado hasta entonces. Pero en ese momento sí lo estaba.

—Sí, señor.

—No te oigo, chico.

—SÍ, SEÑOR. —Dennis bajó la vista un momento. Un fuego negro parecía arder en los ojos del señor Hawtrey y no resultaba fácil sostenerle la mirada—. Lo siento muchísimo.

—Es demasiado tarde para eso, chico. Te has saltado las clases, has disgustado a los profesores. Eres una calamidad. No pienso tener a un degenerado como tú en mi escuela.

—Pero, señor...

—Quedas expulsado.

—Pero ¿qué hay de la final de la copa, señor? ¡Se disputa el próximo sábado! ¡Tengo que jugar ese partido!

—No volverás a jugar al fútbol, chico.

—Pero, señor... ¡Se lo suplico!

—¡He dicho que estás expulsado! Debes abandonar el recinto escolar de inmediato.

15

No hay más que hablar

—¿Que te han expulsado?

—Sí, papá.

—¿EXPULSADO?

—Sí.

—¿Por qué demonios te han expulsado?

Dennis y su padre estaban sentados en la sala de estar. Eran las cinco de la tarde y el chico se había quitado el maquillaje de la cara y se había cambiado de ropa con la esperanza de suavizar un poco el golpe.

Pero de nada sirvió.

—Bueno... —Dennis no estaba seguro de encontrar las palabras adecuadas para explicarlo. Ni entonces ni nunca.

—¡Se ha presentado en la escuela vestido de chica! —gritó John, señalando a Dennis como si fuera un alienígena que hubiese engañado a todo el mundo haciéndose pasar por humano. Era evidente que había estado escuchando detrás de la puerta.

—¿Que te has vestido de chica? —preguntó el padre de Dennis.

—Sí —contestó él.

—¿Lo habías hecho antes?

—Un par de veces.

—¡Un par de veces! ¿Y te gusta vestirte de chica? —Su padre lo miraba con una cara de desolación que Dennis no le había visto desde que su madre se había ido.

—Un poquito.

—O te gusta o no te gusta.

Dennis cogió aire.

—Pues... sí, papá. Me gusta. Es que... me lo paso bien.

—¿Qué he hecho yo para merecer esto? ¡A mi hijo le gusta ponerse vestidos!

—A mí no, papá —dijo John, ansioso por apuntarse un tanto—. Jamás me he puesto un vestido, ni siquiera en broma, y no lo haré nunca.

—Gracias, John —contestó su padre.

—De nada, papá. ¿Puedo coger un Magnum?

—Sí —dijo su padre, distraído—. Puedes coger un Magnum.

—Gracias, papá —respondió John, todo orgulloso, como si acabaran de concederle una medalla que pusiera «Hijo Número Uno».

—Pues se acabó. Se acabó lo de ver ese programa, *Small England* o como se llame, en el que salen esos dos cretinos que se pasan el día vestidos de mujer. Es una mala influencia.

—Sí, papá.

—Ahora vete a tu habitación y ponte a hacer los deberes —gruñó su padre.

—No tengo deberes. Me han expulsado de la escuela.

—Ah, es verdad. —El padre de Dennis reflexionó unos instantes—. Pues vete a tu habitación y punto.

Dennis pasó por delante de John, que estaba sentado en los escalones, disfrutando de su Magnum. Se tumbó en la cama y allí se quedó en silencio, pensando que toda su vida se había ido al garete por algo tan tonto como ponerse un vestido. Sacó la foto que había salvado de la hoguera, en la que salía junto a John y a su madre en la playa. Era lo único que le quedaba. Contempló la imagen. Habría dado cualquier cosa por volver a estar en esa playa, con la boca pringada de helado, cogido de la mano de su madre. Si se la quedaba mirando mucho rato, tal vez lograra desaparecer y regresar a esa escena feliz.

Pero de pronto alguien le arrancó la foto de las manos.

Su padre la sostenía.

—¿Qué es esto?

—No es más que una foto, papá.

—¡Pero si las quemé todas! No quiero ningún recuerdo de esa mujer en esta casa.

—Lo siento, papá. Salió volando de la hoguera y se quedó atrapada en un seto.

—Pues se va a ir al cubo de la basura, igual que tu revista.

—¡Por favor, papá, no lo hagas! Deja que me la quede.

Dennis le arrebató la foto de las manos.

—¡¿Cómo te atreves?! ¡Dámela! ¡AHORA MISMO! —bramó su padre.

Dennis nunca lo había visto tan fuera de sí. Le devolvió la foto, asustado.

—¿Tienes alguna más?

—No, papá. Esa es la única, te lo prometo —contestó Dennis.

—Ya no sé qué creer. Tu madre tiene la culpa de toda esta tontería de los vestidos. Siempre fue demasiado blanda contigo.

Dennis no abrió la boca. No había más que hablar. Siguió mirando al infinito. Oyó que la puerta se cerraba. Pasó una hora, ¿o fue un día, o un mes, o quizá un año? Dennis ya no estaba seguro. El presente era un lugar en el que no quería estar y no alcanzaba a ver el futuro.

Su vida estaba acabada, y solo tenía doce años.

Sonó el timbre, y unos instantes después Dennis oyó la voz de Darvesh abajo, y luego la de su padre.

—Me temo que no puede salir de su habitación, Darvesh.

—Pero de verdad que necesito hablar con él, señor Sims.

—No puede ser, lo siento Darvesh. Hoy, no. Y si ves a esa tal Lisa, la cabeza de chorlito que según John convenció a mi hijo para que fuera por ahí hecho una mona, dile que ni se le ocurra volver a mi casa.

—¿Puede decirle a Dennis que sigo siendo su amigo? Da igual lo que haya pasado, seguimos siendo amigos. ¿Puede decírselo de mi parte?

—De momento no me hablo con él, Darvesh. Será mejor que te vayas.

Dennis oyó como la puerta se cerraba y se asomó por la ventana. Vio a Darvesh alejándose despacio bajo la lluvia, que le empapaba la *patka*. El chico se dio la vuelta y vio a Dennis arriba, en la ventana de su habitación. Sonrió con tristeza y lo saludó con la mano. Dennis alzó la mano para devolverle el saludo. Luego Darvesh desapareció de su campo de visión.

Dennis se pasó todo el día encerrado en su habitación, escondiéndose de su padre.

Justo cuando anochecía, oyó unos golpecitos en la ventana. Era Lisa. Se había encaramado a una escalera de mano y trataba de hablar bajito.

—¿Qué quieres? —preguntó Dennis.

—Tengo que hablar contigo.

—Pero a mí no me dejan hablar contigo.

—Déjame entrar un momento. Por favor...

Dennis abrió la ventana y Lisa entró en la habitación. El chico volvió a sentarse en la cama.

—Lo siento, Dennis. Lo siento muchísimo. Creía que sería divertido. No pensé que acabaría así. —Le puso una mano en el hombro y le acarició el pelo.

Nadie había acariciado el pelo de Dennis desde hacía años. Su madre solía hacerlo todas las noches, cuando lo arropaba en la cama, y de pronto Dennis sintió ganas de llorar.

—Es absurdo, ¿verdad? —susurró Lisa—. A ver, ¿por qué las chicas pueden llevar vestidos y los chicos no? ¡No tiene ningún sentido!

—No pasa nada, Lisa.

—¡Y pensar que esto te ha costado la expulsión! Sencillamente no es justo. ¡Ni siquiera Karl Bates se ganó la expulsión cuando enseñó el culo a los inspectores escolares!

—Y además voy a perderme la final del campeonato de fútbol.

—Lo sé, lo siento. Escucha, no era mi intención que esto pasara. Es un disparate. Pero no te preocupes, voy a conseguir que Hawtrey te readmita en la escuela.

—Lisa...

—Lo haré. Todavía no sé cómo, pero te lo prometo. —Lisa lo abrazó y lo besó a escasos milímetros de los labios. Fue un beso que le supo a gloria. ¿Cómo iba a saber si no? Al fin y al cabo, la boca de Lisa tenía forma de beso—. Te lo prometo, Dennis.

16

Con o sin vestido

Hasta el fin de semana Dennis no tuvo permiso para volver a salir de casa. Su padre había guardado el ordenador bajo llave, y tampoco le estaba permitido ver la tele, así se que se había perdido unos cuantos programas de Trisha.

Finalmente el domingo por la mañana Dennis pudo salir. Quería ir al piso de Darvesh para desearle suerte en la final. De camino hizo un alto en el quiosco de Raj para comprar algo de comer. Solo tenía trece peniques, ya que su padre le había congelado la asignación indefinidamente. Raj lo saludó con la amabilidad de siempre.

—¡Ah, mi cliente favorito! —exclamó el quiosquero.

—Hola, Raj —dijo Dennis, sin apenas levantar la voz—. ¿Tienes algo que cueste trece peniques?

—Hum, déjame que piense. ¿Media chocolatina Chomp?

Dennis sonrió. Era la primera vez que lo hacía en una semana.

—Me alegro de verte sonreír, Dennis. Lisa me ha contado lo que pasó en la escuela el otro día. Lo siento mucho.

—Gracias, Raj.

—¡Pero debo decir que me tenías bien engañado! ¡Estabas espectacular como Denise, ja, ja! Pero, ahora en serio, mira que expulsarte de la escuela por ponerte un vestido... ¡es absurdo! No has hecho nada malo, Dennis. No deberían hacerte sentir como si lo hubieses hecho.

—Gracias, Raj.

—Venga, te invito a unas pocas chuches...

—¡Uau, gracias! —dijo Dennis. Los ojos le hacían chiribitas.

—... por valor de veintidós peniques.

Ver cómo Darvesh preparaba la bolsa de deporte para la final fue más duro de lo que Dennis había imaginado. No jugar ese partido era lo peor de haber sido expulsado.

—Es una faena que no puedas jugar hoy, Dennis —dijo Darvesh mientras olisqueaba los calcetines para comprobar que estaban limpios—. Eres nuestro goleador, la estrella del equipo.

—Todo irá bien, ya verás —contestó Dennis, tratando de darle ánimos.

—No tenemos la menor posibilidad de ganar sin ti, y lo sabes. No puedo creer que Hawtrey sea tan cruel.

—Bueno, a lo hecho pecho. No puedo hacer nada por cambiarlo.

—Algo se tiene que poder hacer. Es muy injusto. Lo único que has hecho es disfrazarte. A mí no me molesta, ¿sabes? Sigues siendo Dennis, mi colega, con o sin vestido.

Dennis estaba conmovido, y sintió ganas de abrazar a Darvesh, pero darse abrazos no es algo que hagan los chicos de doce años.

—¡Esos taconazos debían de ser de lo más incómodos, eso sí! —añadió Darvesh.

—¡Son una tortura! —dijo Dennis entre risas.

—¡Aquí tienes un tentempié! —anunció la madre de Darvesh, entrando en la habitación con una bandeja rebosante de comida.

—¿Qué es todo eso, mamá? —gimió Darvesh.

—Te he preparado un poco de masala, algo de arroz, unas lentejas, un chapati, unas samosas y de postre tarta helada Viennetta...

—¡No puedo comerme todo eso antes de jugar, mamá! ¡Vomitaré! ¡El partido empieza dentro de una hora!

—¡Necesitas coger fuerzas, hijo mío! ¿A que sí, Dennis?

—Pues... sí —vaciló Dennis—. Supongo...

—¡Díselo tú, Dennis, porque a mí no me escucha! Qué lástima que no puedas jugar hoy.

—Gracias, ha sido una semana para olvidar —dijo Dennis.

—Pobre chico, expulsado solo por no llevar el uniforme reglamentario. Darvesh no ha llegado a contármelo, ¿qué llevabas puesto exactamente?

—Hum, eso da igual, mamá... —intervino Darvesh, intentando sacar a su madre de la habitación.

—No pasa nada, Darvesh —dijo Dennis—. No me importa que lo sepa.

—¿Que sepa el qué? —preguntó la madre de Darvesh.

—Pues... —Dennis hizo una pausa y luego continuó, muy serio—: Me presenté en la escuela con un vestido de lentejuelas naranja.

Hubo un silencio.

—Vaya, Dennis —dijo la madre de Darvesh—. ¿Cómo se te ocurre hacer algo así? —Dennis se puso pálido—. El naranja no te favorece en absoluto —continuó la mujer—. Con tu pelo claro te quedarían mucho mejor los tonos pastel, como el rosa o el azul bebé.

—Hum... Gracias —dijo Dennis.

—No hay de qué, y cuenta conmigo siempre que necesites consejos de moda. Venga, Darvesh, cómetelo todo. Iré a arrancar el coche —dijo al salir de la habitación.

—Tu madre es la bomba —dijo Dennis—. ¡La adoro!

—Yo también la adoro, ¡pero está como un cencerro! —replicó Darvesh con una carcajada—. ¿Qué harás al final, vendrás a ver el partido? Todo el mundo estará allí.

—No sé...

—Imagino que se te hará un poco raro, pero vente, anda. No será lo mismo sin ti. Te necesitamos, Dennis, aunque solo sea para darnos ánimos. Venga, porfa...

—No sé si debo... —dijo Dennis.

—Porfaaa...

17

Maudlin Street

Dennis sintió que se le revolvía el estómago cuando el árbitro pitó el inicio del partido. Alumnos, padres y profesores se habían reunido en torno al campo de juego con gran alegría y entusiasmo. La madre de Darvesh parecía no caber en sí de emoción. Se había abierto paso a codazos hasta la primera fila de espectadores.

—¡A por ellos! —gritaba una y otra vez, eufórica.

El señor Hawtrey estaba junto a ella. Se había sentado en un extraño artilugio, mitad bastón, mitad taburete. El hecho de que el director de la escuela fuera la única persona sentada entre el público le daba un aire importante, aunque su asiento pareciera incomodísimo. Dennis se puso la capucha del anorak para que no lo reconociese.

Ya ni siquiera iba a la escuela y el director seguía dándole pánico.

Se sorprendió al ver a Lisa de pie entre el público, junto a Mac.

—¿Qué haces tú aquí? —le preguntó—. No sabía que te gustara el fútbol.

—Bueno, al fin y al cabo hoy es la final —contestó Lisa, sin darle más importancia—. Solo he venido a animar al equipo, como todo el mundo.

—Qué vergüenza, Dennis... —dijo Mac tímidamente—. Mira que invitarte a salir...

—Ah, no te preocupes, Mac —contestó Dennis—. En cierto modo me sentí halagado.

—Bueno, la verdad es que como chica eras muy guapa —dijo Mac.

Lisa rompió a reír a carcajadas.

—¿Más guapa que Lisa? —bromeó Dennis.

—¡Eh, cuidadito con lo que dices! —le advirtió Lisa, sonriendo.

Con el rabillo del ojo, Dennis vio a la señorita Windsor cruzando el campo de juego para ocupar su lugar entre el público.

—¿Ya le has pedido perdón a la señorita Windsor, Dennis? —preguntó Lisa, aunque a juzgar por su tono de voz era evidente que sabía la respuesta.

—Hum..., todavía no, Lisa, pero lo haré —dijo el chico, encogiéndose de vergüenza.

—¡Dennis! —le regañó Lisa.

—Lo haré.

—Le diste un gran disgusto —añadió Mac mientras se las arreglaba para meterse un Caramac entero en la boca—. La vi ayer en el quiosco de Raj y se echó a llorar desconsolada al ver una botella de Orangina.

—Que sí, que ya lo sé, y le pediré perdón. Pero no puedo hacerlo ahora mismo, ¿no creéis? No estando Hawtrey ahí sentado —dijo Dennis, escondiéndose detrás de la voluminosa figura de Mac y centrando su atención en el partido.

El equipo rival era el de la escuela Maudlin Street. Había ganado el campeonato sin interrupción desde hacía tres años. Como escuela tenía mala fama, y su equipo de fútbol era conocido por jugar sucio: hacían entradas muy duras, repartían codazos y en cierta ocasión hasta le habían metido el dedo en el ojo al árbitro. La escuela de Dennis —o mejor dicho, su antigua escuela—, en cambio, nunca había ganado el campeonato, y lo máximo que se esperaba del equipo era una derrota heroica. Sobre todo cuando su mejor jugador había sido expulsado...

Haciendo honor a su fama, el equipo de Maudlin Street empezó con fuerza y marcó un gol en los primeros minutos de partido. El árbitro enseñó la tarjeta amarilla a uno de sus jugadores por darle un pellizco de monja a uno de los defensas poco antes de que marcaran el segundo gol.

Luego llegó el tercero.

Darvesh se acercó corriendo a Gareth.

—Lo tenemos crudo. ¡Necesitamos a Dennis!

—Lo han expulsado, Darvesh. Venga, podemos ganar el partido sin él.

—¡No, no podemos, y lo sabes!

Gareth echó a correr tras la pelota. La jugada culminó con otro gol del Maudlin Street.

Cuatro a cero.

Aquello se estaba convirtiendo en una auténtica paliza.

Hubo una tregua momentánea mientras la madre de Darvesh y la señorita Windsor se llevaban en camilla a uno de los chicos. Un jugador del Maudlin Street le había pisoteado la pierna «sin querer».

—¡Por favor, Gareth, haz algo! —le gritó Darvesh.

El capitán soltó un suspiro y se acercó corriendo al señor Hawtrey.

—¿Qué quieres, chico? ¡Esto es un desastre! ¡Haréis quedar fatal a toda la escuela! —bramó el director.

—Lo siento, señor. Pero ha expulsado usted a nuestro mejor jugador. Sin Dennis no tenemos la menor posibilidad.

—Ese chico no va a jugar.

Gareth sintió que se le caía el alma a los pies.

—Pero, señor, lo necesitamos.

—No pienso consentir que ese mamarracho represente a la escuela.

—Se lo ruego, señor director...

—Sigue jugando, chico —zanjó el señor Hawtrey, y sacudió la mano en el aire como quien espanta a una mosca.

Gareth volvió corriendo al campo de juego. A los pocos minutos estaba tirado en el césped, gimiendo de dolor, después de que uno de los delanteros del Maudlin Street le diera un pelotazo en la entrepierna. Ese mismo jugador chutó a portería nada más recuperar el balón.

Cinco a cero.

—Debería usted dejar jugar al muchacho, señor director —le dijo la madre de Darvesh con tono apremiante.

—Le agradecería que no metiera las narices donde no la llaman, señora —le replicó el señor Hawtrey con malos modos.

—Acompáñame, Mac —ordenó Lisa con tono autoritario—. Necesito que me eches una mano.

—¿Adónde vais? —preguntó Dennis.

—Ya lo verás —replicó Lisa, guiñándole el ojo. Se alejó cruzando las canchas de juego, seguida por Mac.

La afición del Maudlin Street volvió a gritar de alegría. Otro gol.

Seis a cero.

Dennis cerró los ojos. Aquello era demasiado doloroso para seguir mirando.

18

Mil sonrisas

—¿Dónde demonios se han metido? —preguntó el señor Hawtrey a gritos, sin dirigirse a nadie en particular.

El segundo tiempo estaba a punto de empezar y los jugadores del Maudlin Street estaban todos en el campo, ansiosos por acabar de barrer al equipo rival. Pero no había ni rastro de sus adversarios. ¿Se habrían dado a la fuga?

Entonces, de repente, Lisa salió del vestuario y sujetó la puerta para que no se cerrara.

El primero en salir fue Gareth, luciendo un vestido de fiesta de lamé dorado...

Lo siguió Darvesh, con un modelito a topos amarillos.

Los defensas salieron justo después, con vestidos de cóctel rojos a juego...

Los siguió el resto del equipo, luciendo modelos de lo más variopintos sacados del armario de Lisa. El último en salir del vestuario fue Dennis, con un vestido de dama de honor de color rosa.

El público aplaudió a rabiar. Dennis miró a Lisa
y sonrió.

—¡A por ellos! —dijo la chica.

Mientras entraban corriendo en el campo, el señor Hawtrey se volvió hacia Gareth y berreó:

—¿QUÉ DIANTRES CREES QUE ESTÁS
HACIENDO, CHICO?

—¡Expulsó usted a Dennis por llevar un vestido, pero no puede expulsarnos a todos, señor! —contestó el capitán a gritos con una sonrisa triunfal.

Todos los chicos del equipo se alinearon detrás de él con aire desafiante, contoneándose como si fueran bailarines en un vídeo de Madonna. El público enloqueció.

—¡ESTO ES UNA VERGÜENZA! —bramó el señor Hawtrey. Se fue hecho una furia, blandiendo con rabia su artilugio, mitad bastón mitad taburete.

Gareth sonrió a Dennis.

—Venga, chicos. ¡Vamos allá! —anunció.

El árbitro, que no daba crédito a sus ojos, sopló el silbato antes de que se le cayera de la boca. En cuestión de segundos Dennis había marcado un gol. El equipo de Maudlin Street estaba perplejo.

Iban perdiendo seis a uno, pero Dennis y sus compañeros volvían a ser un solo equipo.

—¡Olalá! —gritó Darvesh mientras se remangaba el vestido y regateaba para esquivar a un defensa.

Entre risas, Dennis marcó otro gol. Estaba a punto de conseguir un *hat-trick* y era cien veces más feliz de lo que había sido nunca. Estaba haciendo a la vez las dos cosas que más le gustaban en el mundo: jugar al fútbol y ponerse un vestido. Entonces Darvesh se deslizó por la hierba, chutó la pelota y marcó un gol, manchando el vestido de paso.

Seis a tres.

—¡Mi niño! ¡Mi niño, el del vestido amarillo a topos, ha marcado! —gritó la madre de Darvesh.

El equipo estaba en racha. Dennis hizo un fantástico pase cruzado a Gareth, que solo tuvo que acompañar la pelota para que esta entrara en la portería.

Seis a cuatro.

Como era su costumbre, Gareth lo celebró como si hubiese marcado el gol del siglo, dando tres vueltas al campo y levantándose el vestido de lamé dorado mientras corría. El público lo vitoreó entre risas. Luego llegó otro gol. Y otro más.

Seis a seis.

Solo quedaban unos minutos de partido.

Un gol más y lo habrían conseguido.

—¡Vamos, Dennis! —gritó Lisa—. ¡Tú puedes!

Dennis miró en su dirección y sonrió. «Sería realmente genial si marcara un gol ahora mismo —pensó—, sobre todo delante de Lisa... mi futura mujer.»

Pero en ese preciso instante Dennis sintió un dolor agudo y cayó fulminado al suelo.

El público ahogó un grito.

Uno de los delanteros del Maudlin Street lo había tumbado. Le había dado un patadón en la espinilla cuando ni siquiera tenía la pelota. Dennis estaba tirado en el barro, sujetándose la pierna y aullando de dolor. El árbitro no había visto nada.

—¡Se ha tirado a la piscina! —protestó el chico del Maudlin Street.

El público lo abucheó.

Dennis intentaba con todas sus fuerzas no llorar. Abrió los ojos y lo vio todo borroso.

Mientras estaba allí tirado, con la mejilla en la hierba, levantó los ojos hacia el público. A través de las lágrimas, vislumbró una chaqueta de cuadros rojos que le resultó muy familiar...

Y entonces la chaqueta de cuadros rojos se convirtió en un hombre...

Y entonces el hombre gritó, con un vozarrón que le resultaba más familiar todavía:

—¡EH! ¿QUÉ ESTÁ PASANDO AQUÍ?

Era su padre.

Dennis no podía creerlo. Nunca hasta entonces había ido a verlo jugar, y allí estaba Dennis, tirado en el suelo con los ojos llenos de lágrimas y llevando puesto un vestido. No quería ni pensar en la bronca que le esperaba.

Pero su padre lo miró y sonrió.

—¡EH, ÁRBITRO! —gritó—. ¡Ese chico le ha dado una patada a mi hijo!

Dennis se incorporó. La pierna le seguía doliendo muchísimo, pero al mismo tiempo una sensación cálida recorría todo su cuerpo. Se puso en pie y le devolvió la sonrisa a su padre.

—¿Estás bien? —preguntó Darvesh.

—Sí —contestó Dennis.

—¡VAMOS, HIJO! —vociferó el padre de Dennis, animándose por momentos—. ¡QUE TÚ PUEDES!

—Lo he llamado en el descanso —explicó Darvesh—. Cuando me has dicho que tu padre nunca te ha visto jugar, he pensado que no querrías que se perdiera algo así.

—Gracias, colega —dijo Dennis.

Cada vez que pensaba que Darvesh ya no podía sorprenderlo más, que no podía ser mejor amigo, iba y lo hacía.

Gareth le arrebató la pelota a uno de los jugadores del Maudlin Street. Darvesh echó a correr por la banda y Gareth le pasó el balón. El equipo del Maudlin Street se abalanzó sobre Darvesh, que devolvió la pelota a Gareth. El capitán sucumbió al pánico por un instante, pero luego se la pasó a Dennis. Este sorteó al defensa y chutó la pelota, que voló justo por encima de la cabeza del portero y se estrelló contra la red.

El portero ni siquiera la vio venir.

¡Seis a siete!

El árbitro pitó el final del partido. Se había acabado.

—¡¡¡Siiiiiiiiiiiiiiiiiiiiiiiiiiiiiiiiiiiiiiiiiiiiiiiiiiiiiiiii
iiiiiiiiiiiiiiiiiiiiiiiiiiiiiiiiiiiiiiiiiiiiiiiiiiiiiiiiiiiiiiiiii
iiiiiiiiiiiiiiiiiiiiil!!! —gritó el público.

—¡¡¡ASÍ SE HACE, HIJOOOOOO!!! —chi-
lló el padre de Dennis.

Este miró hacia arriba y sonrió. Por un momento le pareció ver la cara de John entre el público, pero no estaba seguro porque, con tanta emoción, todo se había vuelto borroso.

Gareth fue el primero en acercarse a Dennis y rodearlo con los brazos. Darvesh no tardó en unírseles. En pocos instantes, todo el equipo se había fundido en un abrazo para celebrar la victoria. Nunca habían llegado siquiera a semifinales, ¡y ahora eran los campeones!

El padre de Dennis bajó corriendo al campo, loco de alegría. Cogió a Dennis en brazos y lo sentó sobre sus hombros.

—¡Mi hijo! ¡Es mi hijo! —gritaba el hombre, todo orgulloso.

El público les dedicó otra ovación. Dennis repartió mil sonrisas. Desde los hombros de su padre veía a Gareth, Darvesh y todos sus compañeros del equipo con sus respectivos vestidos.

«Solo hay un problema —pensó Dennis—. Ya no me siento tan distinto.»

Pero se guardó ese pensamiento.

19

Arrastrado por el fango

El equipo de Maudlin Street y su afición abandonaron el campo de juego refunfuñando cosas como «Tongo», «Revancha» y «¡Panda de nenazas!».

Gareth pasó la reluciente copa plateada a Darvesh para que la levantara.

El público los aclamó entre aplausos.

—¡Mi hijo! ¡Mi hijo el futbolista! ¡Hay que ver lo bien que te sienta el amarillo! —exclamó la madre de Darvesh.

El chico miró a su madre y alzó la copa en su dirección.

—¡Va por ti, mamá! —exclamó.

La madre de Darvesh sacó un pañuelo y se secó una lágrima. Luego Darvesh pasó la copa a Dennis. En ese momento, el señor Hawtrey reapareció en el terreno de juego.

—¡TÚ NO, CHICO!

—Pero, señor... —imploró Dennis.

—Sigues expulsado de la escuela.

La multitud empezó a abuchear al director. Mac se sacó un caramelo de la boca por unos instantes para unirse a los abucheos. Hasta la señorita Windsor puso boquita de piñón para lanzar un pequeño «buuu» revolucionario.

—¡SILENCIO!

Y vaya si hubo silencio. Hasta los adultos enmudecieron de miedo.

—Pero yo creía... —empezó Dennis.

—¡Creyeras lo que creyeses, estabas equivocado! —gruñó el señor Hawtrey—. Y ahora abandona el recinto de la escuela antes de que llame a la policía.

—Pero, señor...

—¡AHORA MISMO!

En ese momento, el padre de Dennis se interpuso entre ambos.

—Menudo cretino está usted hecho —le soltó al director. El señor Hawtrey se quedó sin palabras. Nadie le había hablado así en toda su vida—. Si no fuera por mi hijo, la escuela no habría ganado esa copa.

—¡Mi hijo también ha ayudado! —añadió la madre de Darvesh.

—Pero Dennis está expulsado —replicó el señor Hawtrey con una sonrisita engreída.

—¿Sabe qué le digo? ¡Como no se ande con ojo, le voy a meter la copa por ya sabe dónde! —le bramó el padre de Dennis.

—Para que luego mi hijo diga que lo pongo en evidencia... —murmuró la madre de Darvesh.

—Oiga, señor...

—Sims. Me llamo Sims. Y este de aquí es Dennis Sims. Mi hijo, Dennis Sims. Recuerde ese nombre. Algún día será un futbolista famoso. ¡Y si no, al tiempo! Yo soy su padre, y no podría estar más orgulloso de él. Venga, hijo, vámonos a casa —dijo el padre de Dennis mientras lo cogía de la mano y se lo llevaba campo a través.

El vestido de Dennis se vio arrastrado por el fango, pero él se agarró con fuerza a la mano de su padre para cruzar los charcos embarrados.

20

Falda y blusa

—Siento que esté tan lleno de barro —se disculpó Dennis al devolverle a Lisa el vestido de dama de honor ese mismo día por la tarde. Estaban sentados en el suelo de la habitación de Lisa.

—Yo sí que lo siento, Dennis. Lo intenté —dijo ella.

—¡Pero, Lisa, si has estado magnífica! Gracias a ti he podido jugar la final. Eso es lo que realmente importa. Ahora solo me queda buscar una escuela que me acepte, que acepte al chico del vestido.

—Maudlin Street, ¿quizá? —bromeó Lisa, sonriendo.

Dennis soltó una carcajada. Luego se quedaron un rato en silencio.

—Te echaré de menos —dijo él.

—Yo también te echaré de menos, Dennis. Será duro no verte en la escuela, pero podemos seguir quedando los fines de semana, ¿no?

—Por mí, encantado. Gracias por todo, Lisa.

—No sé por qué me das las gracias, por mi culpa te han expulsado.

Dennis guardó silencio por un momento.

—Te doy las gracias por abrirme los ojos.

Lisa miró al suelo con timidez. Dennis nunca la había visto así.

—Vaya, gracias, Dennis. Eso es lo más bonito que me han dicho nunca.

Dennis sonrió, sintiéndose más seguro de sí mismo por momentos.

—Y tengo que decirte algo más, Lisa. Algo que he querido decirte desde hace mucho tiempo.

—¿Sí...?

—Estoy completamente, locamente...

—Completamente, locamente... ¿qué?

Pero por más que quisiera Dennis no era capaz de decirlo. A veces cuesta mucho expresar lo que sientes.

—Te lo diré cuando sea mayor.

—¿Me lo prometes, Dennis?

—Te lo prometo.

Espero que lo haga. Todos conocemos a alguna persona que, cuando la tenemos cerca, es como si el corazón se nos pusiera a dar brincos de alegría. Pero incluso cuando eres adulto, a veces resulta difícil decir lo que sientes.

Lisa pasó los dedos por el pelo de Dennis, que cerró los ojos para poder sentirlo más intensamente.

De camino a casa, Dennis pasó por la tienda de Raj. No tenía intención de detenerse ese día, pero el quiosquero lo vio pasar y salió a la calle para saludarlo.

—¡Dennis, qué triste te veo! ¡Pasa, pasa! ¿Qué demonios ha ocurrido, jovencito?

Dennis le contó lo que había pasado en el partido de fútbol, y Raj movió la cabeza como si no pudiera creérselo.

—¿Sabes qué es lo más irónico de todo esto, Dennis? —dijo Raj, muy indignado—. ¡Los que juzgan a los demás con tanta ligereza, ya sean profesores, políticos, líderes religiosos o lo que sea, son por lo general mucho peores!

—Quizá tengas razón... —murmuró Dennis, escuchándolo solo a medias.

—De quizá, nada, Dennis. Es cierto. El director de tu escuela..., ¿cómo se llamaba?

—El señor Hawtrey.

—Eso es. El señor Hawtrey. Juraría que hay algo raro en él.

—¿Raro? —preguntó Dennis, intrigado.

—No puedo asegurarlo —continuó Raj—, pero solía venir a mi quiosco todos los domingos, a las siete en punto de la mañana, para comprar el *Telegraph*. A la misma hora semana tras semana, puntual como un reloj. Y luego, de buenas a primeras, dejó de venir a comprar el diario y pasó a hacerlo su hermana. O por lo menos él dijo que era su hermana.

—¿Qué quieres decir?

—Bueno, no pondría la mano en el fuego, pero te aseguro que hay algo muy extraño en esa mujer.

—¿De verdad? ¿El qué?

—Ven mañana a las siete de la mañana y podrás comprobarlo tú mismo —dijo Raj, dándose unos golpecitos en la nariz—. Veamos, ¿te apetece la otra mitad de esa chocolatina Chomp? No consigo venderla.

—Es muy pronto para ser domingo —protestó Lisa—. Son las siete menos cuarto. Debería estar en la cama.

—Lo siento —contestó Dennis.

—Así que Hawtrey tiene una hermana, ¿y qué?

—Bueno, Raj dijo que hay algo extraño en ella. Escucha, será mejor que nos demos prisa si queremos estar allí a las siete.

Apretaron el paso por las calles frías y envueltas en la niebla. El suelo estaba mojado a causa de una tormenta que había descargado por la noche. No se veía un alma, y las calles desiertas tenían un aire fantasmagórico. Lisa llevaba zapatos de tacón, claro está, a diferencia de Dennis. Lo único que se oía era el repiqueteo de sus tacones en la acera.

Y entonces, entre la niebla gris, apareció una mujer muy alta vestida de negro que entró en el quiosco. Dennis miró el reloj.

Las siete en punto.

—Tiene que ser ella —susurró. Se acercaron de puntillas al escaparate de la tienda y miraron a través del cristal. En efecto, la desconocida estaba comprando un ejemplar del *Sunday Telegraph*.

—Ha venido a comprar el diario, ¿qué tiene eso de raro? —preguntó Lisa en susurros.

—Chisss —dijo Dennis—. Aún no hemos podido verla bien.

Raj vislumbró a Dennis y a Lisa a través del cristal y les guiñó el ojo cuando la mujer se dio la vuelta. Se escondieron detrás de un contenedor de basura mientras ella salía de la tienda. Ni Dennis ni Lisa podían creer lo que estaban viendo. Si aquella mujer era la hermana del señor Hawtrey, solo podían ser gemelos. ¡Hasta tenía bigote!

La misteriosa dama miró a ambos lados para asegurarse de que no había nadie cerca y luego se alejó a paso vivo. Dennis y Lisa se miraron el uno al otro y sonrieron.

¡Lo habían pillado!

—¡SEÑOR HAWTREY! —gritó Dennis.

La silueta se dio la vuelta y contestó con un vozarrón grave, masculino:

—¿Sí? —Pero enseguida añadió con voz fina y aflautada—: ¡Quiero decir, no!

Dennis y Lisa se acercaron a él.

—Yo no soy el señor Hawtrey. No, no..., desde luego que no. Soy su hermana, Doris.

—Déjelo ya, señor Hawtrey —repuso Lisa—. Puede que seamos niños, pero no somos tontos.

—¿Y por qué lleva bigote? —preguntó Dennis con aire acusador.

—¡Tengo un pequeñísimo problema de vello facial! —contestó el hombre con voz de pito. Dennis y Lisa se limitaron a reír—. Ah, eres tú. El chico del vestido —refunfuñó el señor Hawtrey con su voz normal. Sabía que había sido descubierto.

—Sí —contestó Dennis—. El chico al que usted expulsó por llevar un vestido. Y mira por dónde, lo hemos pillado haciendo lo mismo.

—Yo no llevo un vestido, chico, sino un conjunto de falda y blusa—replicó el señor Hawtrey con malos modos.

—Bonitos zapatos, señor director —dijo Lisa.

El señor Hawtrey los fulminó con la mirada.

—¿Qué queréis de mí? —preguntó.

—Yo quiero que Dennis sea readmitido en la escuela —exigió Lisa.

—Imposible, me temo. No llevar el uniforme reglamentario es una infracción muy grave —dijo el señor Hawtrey con aplomo de director.

—Ya, pero ¿y si corriera la voz de que a usted le gusta vestirse de mujer? —preguntó Lisa—. Sería el hazmerreír de la escuela.

—¿Tratas de chantajearme? —preguntó el señor Hawtrey con tono severo.

—Sí —contestaron Lisa y Dennis al unísono.

—Ah —replicó el señor Hawtrey, abatido de pronto—. Bueno, en ese caso creo que no me queda más remedio que ceder. Puedes volver a clase el lunes por la mañana. Con el uniforme reglamentario, eso sí. Pero tenéis que prometerme que nunca se lo diréis a nadie —añadió el señor Hawtrey con cara de pocos amigos.

—Lo prometo —dijo Dennis.

El señor Hawtrey miró a Lisa, que se quedó callada por unos instantes con una sonrisa de oreja a oreja, disfrutando del poder que aún tenía.

—Vale, vale, yo también lo prometo —respondió al fin.

—Gracias.

—Ah, y una cosita más —dijo Dennis.

—Habla, chico.

—A partir de ahora podremos jugar con balones de fútbol en el patio de recreo —continuó Dennis, seguro de sí mismo—. Jugar con pelotas de tenis es un asco.

—¿Algo más? —preguntó el señor Hawtrey con retintín.

—No, creo que ya está —contestó Dennis.

—Si se nos ocurre algo más, se lo haremos saber —añadió Lisa.

—Muchas gracias —contestó el señor Hawtrey con sarcasmo—. Sabéis, no siempre es fácil ser director de escuela. Gritar a los alumnos todo el rato, echarles la bronca, expulsarlos. Me visto así para relajarme.

—Eso está muy bien, pero ¿por qué no intenta ser más amable con todo el mundo? —le preguntó Lisa.

—Es la idea más tonta que he oído nunca —replicó el señor Hawtrey.

—Entonces nos vemos el lunes, señorita... —dijo Dennis entre risas—. ¡Perdón, quería decir «señor»!

El señor Hawtrey se dio media vuelta y se marchó a casa tan deprisa como se lo permitían los tacones. Justo cuando estaba a punto de doblar la esquina, se descalzó y echó a correr como alma que lleva el diablo con los zapatos en la mano.

Dennis y Lisa armaron tal escándalo con sus carcajadas que despertaron a medio barrio.

21

Grandes manos peludas

—¿Por qué te has puesto eso? —preguntó el padre de Dennis.

Era lunes por la mañana y el hombre miraba
boquiabierto a Dennis, que estaba sentado a la mesa
de la cocina, comiendo su bol de Rice Krispies, y
por primera vez desde hacía una semana llevaba
puesto el uniforme escolar.

—Hoy vuelvo a clase, papá —le contestó Dennis—. El director ha cambiado de idea respecto a
mi expulsión.

—¿En serio? ¿Por qué? Nunca lo hubiese dicho
de ese cascarrabias.

—Es una historia muy larga. Supongo que llegó a la conclusión de que ponerse un vestido no es algo tan grave.

—Pues tiene razón. No lo es. ¿Sabes qué? Me sentí muy orgulloso de ti el otro día. Fuiste muy valiente.

—Ese chico me había dado una buena patada —dijo Dennis.

—No me refiero solo a eso, sino a salir al campo con un vestido. Hay que ser valiente para hacer algo así. Yo no podría. Eres un gran chico, te lo digo en serio. No lo has tenido fácil desde que tu madre se fue. Yo me he sentido muy desgraciado, y sé que a veces lo he pagado con tu hermano y contigo, y lo siento.

—No pasa nada, papá. Te sigo queriendo.

El señor Sims se metió la mano en el bolsillo de la chaqueta y sacó la foto que él mismo había tomado de su familia en la playa.

—No tuve valor para quemarla, hijo. Pero no soporto ver fotos como esta. Quería muchísimo a tu madre, ¿entiendes? Todavía la quiero, a pesar de todo. Ser adulto es así de complicado. Pero la foto es tuya, Dennis. Guárdala bien.

Le temblaba la mano al devolver la foto chamuscada a su hijo. Dennis se la quedó mirando unos instantes y luego se la metió con cuidado en el bolsillo de la chaqueta.

—Gracias, papá —dijo.

—¿Todo bien? —preguntó John al entrar en la cocina—. Así que ¿vuelves a clase?

—Sí —contestó Dennis.

—El tonto del director ha cambiado de idea... —dijo papá.

—Yo creo que eres muy valiente por volver —dijo John mientras ponía unas rebanadas de pan duro en la tostadora—. Puede que algunos de los chicos mayores se metan contigo.

Dennis clavó la vista en el suelo.

—En ese caso tendrás que defender a tu hermano, ¿no crees, John? —preguntó papá.

—Sí, lo haré. Si alguien le dice algo, le plantaré
cara. Eres mi hermano y te protegeré.

—Buen chico —dijo papá, intentando no llorar—. Tengo que irme, chicos. Hoy me toca llevar

un cargamento de rollos de papel higiénico a Bradford. —Se fue hacia la puerta, pero antes de salir se volvió de nuevo—. Estoy muy orgulloso de vosotros dos, ¿sabéis? Hagáis lo que hagáis, siempre seréis mis chicos. Sois lo único que tengo.

El señor Sims no fue capaz de mirarlos a la cara mientras hablaba, y luego se marchó rápidamente, cerrando la puerta tras de sí.

Dennis y John se miraron. Era como si una era glacial hubiese llegado a su fin y el sol empezara a brillar por primera vez desde hacía un millón de años.

—Es una lástima que te perdieras la final —dijo Dennis mientras iban camino de la escuela.

—Sí... —contestó John—. Es que había quedado para, ya sabes, pasar el rato con mis colegas en el centro recreativo.

—Qué raro. Por un momento me pareció verte entre el público, pero supongo que te confundí con otra persona.

John carraspeó.

—Bueno..., en realidad sí que era yo...

—¡Lo sabía! —exclamó Dennis, sonriendo—. ¿Por qué no me dijiste nada?

—Iba a hacerlo —farfulló John—, pero no podía bajar al campo al acabar el partido y empezar a repartir abrazos y todo eso. Quería hacerlo, te lo prometo, pero... No sé. Lo siento.

—Me alegro de que estuvieras allí, aunque no me lo dijeras. No hace falta que te disculpes.

—Gracias. Lo siento.

Caminaron en silencio un rato.

—Lo que sigo sin entender, sin embargo —empezó John—, es por qué lo hiciste.

—¿Por qué hice el qué?

—Ponerte ese vestido, el que empezó todo el lío.

—En realidad no estoy seguro —dijo Dennis con expresión confusa—. Supongo que porque es divertido.

—¿Divertido? —replicó John.

—¿Te acuerdas de cuando éramos pequeños y jugábamos en el jardín a que éramos Daleks o Spiderman o algo por el estilo?

—Sí.

—Pues así me sentía yo. Como si estuviera jugando —afirmó Dennis con rotundidad.

—A mí me gustaba jugar —reflexionó John, casi para sus adentros, mientras caminaban calle abajo.

—Pero ¿qué demonios...? —exclamó John cuando Dennis y él entraron en el quiosco y encontraron a Raj envuelto en un flamante sari verde lechuga.

Y con peluca.

Y pintado como una puerta.

—¡Buenos días, chicos! —saludó Raj con una voz ridícula de tan aguda.

—Buenos días, Raj —dijo Dennis.

—Ah, no, yo no soy Raj —dijo Raj—. Hoy no ha venido, pero me ha dejado a mí a cargo de la tienda. ¡Soy su tía Indira!

—Raj, sabemos que eres tú —dijo John.

—Pues vaya chasco... —se lamentó este, con el ánimo por los suelos—. He madrugado mucho para arreglarme. ¿Cómo me habéis descubierto?

—Por la barba —respondió Dennis.

—Y la nuez de Adán —añadió John.

—Y esas grandes manos peludas —continuó Dennis.

—Vale, vale, ya lo pillo —replicó Raj—. ¡Quería tomarme la revancha, Dennis, porque me tenías bien engañado!

—Pues la verdad es que te ha faltado poco para conseguirlo, Raj —dijo Dennis, compadeciéndose de él—. Como mujer das el pego, desde luego. —Sonrió, admirando el traje de Raj—. ¿De dónde has sacado ese sari?

—Es de mi esposa. Por suerte es una mujer grandota, así que me viene bien. —Raj bajó la voz por un momento y miró alrededor para asegurarse de que no hubiese nadie cerca—. No sabe que se lo he cogido, así que si la veis será mejor que no le digáis nada.

—No te preocupes, Raj, somos dos tumbas —le aseguró Dennis.

—Muchas gracias. Buena pista la del señor Hawtrey, ¿verdad? —preguntó Raj, guiñándole un ojo todo pintarrajeado de negro.

—Oh, desde luego, muchas gracias, Raj —dijo Dennis, devolviéndole el guiño.

—¿De qué habláis? —preguntó John.

—Ah, nada. Resulta que le gusta leer el *Sunday Telegraph*... —contestó Dennis.

—Bueno, será mejor que nos pongamos en marcha o llegaremos tarde —dijo John, tirando del brazo de su hermano—. Hum, me llevaré este paquete de Quavers, Raj.

—Por la compra de dos paquetes, te llevas otro completamente gratis —dijo Raj, muy orgulloso de su nueva oferta especial.

—De acuerdo —respondió John—. Me parece un buen trato.

Cogió otro paquete de aperitivos de queso y se lo dio a Dennis.

Entonces Raj sacó una sola patata frita de otro paquete que tenía abierto.

—Y aquí tienes tu Quavers gratis. Serán dos paquetes de Quavers... Cincuenta y ocho peniques. ¡Muchas gracias!

John parecía confuso.

—¡Mucha suerte, Dennis! —exclamó Raj mientras los dos hermanos salían de la tienda—. Pensaré en ti.

22

Una cosa pendiente

Nada más cruzar la verja de la escuela, Dennis vio a Darvesh esperándolo con un reluciente balón de fútbol en las manos.

—¿Te apetece jugar a la pelota un rato? —preguntó Darvesh—. Mi madre me la compró ayer. A partir de ahora ya podemos jugar con balones de fútbol en el patio —añadió, botando la pelota con aire triunfal.

—¿En serio? —replicó Dennis—. Me pregunto qué habrá hecho cambiar de idea a Hawtrey...

—¿Jugamos o qué? —preguntó Darvesh, impaciente.

En ese momento Dennis vio a la señorita Windsor aparcando su Citroën dos caballos amarillo. Como coche no era gran cosa, parecía más bien un cubo de basura sobre ruedas, pero era francés y a ella le encantaba.

—Te busco en el recreo, ¿vale? —dijo Dennis.

—Vale, Dennis, y jugaremos como está mandado —contestó Darvesh, haciendo malabarismos con la pelota mientras se dirigía a clase.

—John, espera aquí un momento, ¿quieres? —dijo Dennis—. Tengo una cosa pendiente.

Dennis respiró hondo.

—¡Señorita! —la llamó a gritos.

John se quedó un poco atrás.

—Ah, eres tú —dijo la señorita Windsor con frialdad—. ¿Qué quieres?

—Solo quería decirle que lo siento muchísimo. En serio. Lo digo de corazón. No debería haberle dicho que tiene usted mal acento.

La señorita Windsor no despegó los labios y Dennis no sabía dónde meterse, pero trató de pensar qué más podía decirle.

—Porque la verdad es que no lo tiene. Su acento francés es impecable, señorita. *Mademoiselle*. Suena como si fuera usted francesa de nacimiento.

—Vaya, gracias, Dennis... o mejor dicho, *merci beaucoup* —dijo la señorita Windsor, bajando un poco la guardia—. Enhorabuena por lo del sábado. Fue un gran partido. ¿Sabes qué?, resultas muy convincente vestido de chica.

—Gracias, señorita.

—En realidad, me alegro de que estés aquí —continuó la señorita Windsor—. Verás, he escrito una obra de teatro...

—No me diga... —repuso Dennis, temiéndose lo peor.

—Es sobre la vida de Juana de Arco, la mártir francesa del siglo xv...

—Uau, eso suena... hum.

—Ninguna de las chicas quiere interpretar ese papel. Total, que he pensado que sería fascinante que lo hiciera un chico, teniendo en cuenta que la propia Juana se hizo pasar por un hombre. Dennis, creo que tú podrías hacer una Juana de Arco inolvidable.

Dennis miró a su hermano en busca de auxilio, pero John se limitó a sonreír.

—Suena... interesante, desde luego.

—Fantástico. Quedemos entonces durante el recreo para hablarlo mientras tomamos un *pain au chocolat*.

—De acuerdo, señorita —dijo Dennis, deseando que se lo tragara la tierra. Se alejó de allí despacio y sin hacer ruido, como haría uno al apartarse de una bomba que podría explotar en cualquier momento.

—Ah, casi se me olvida: la obra está escrita en francés. *Au revoir!* —añadió la señorita Windsor cuando Dennis ya se iba.

—¡Eso no me lo pierdo yo por nada del mundo! —dijo John entre risas.

Mientras se encaminaban juntos al edificio de la escuela, John rodeó a su hermano con el brazo. Dennis sonrió.

Era como si el mundo entero hubiese cambiado de repente.

Agradecimientos

Me gustaría dar las gracias a mi agente literario de Independent Talent, Paul Stevens; a Moira Bellas y a todo el mundo en MBC PR; a todo el equipo de HarperCollins, y en especial a la editora jefe Ann-Janine Murtagh y a mi editor de mesa, Nick Lake, por creer en este proyecto y haberme apoyado desde el primer momento; a James Annal, el diseñador de la cubierta; a Elorine Grant, que se encargó de la maquetación; a Michelle Misra, correctora con ojos de lince; al otro lado de mi cerebro que es Matt Lucas; a mi mayor fan, Kathleen, que es también mi madre, y a mi hermana Julie por ser la primera persona a la que se le ocurrió ponerme un vestido.

Pero, por encima de todo, deseo dar las gracias al gran Quentin Blake, que ha aportado a este libro más de lo que nunca me hubiese atrevido a soñar.

NO TE PIERDAS LAS AVENTURAS DE...

LOS BOCADILLOS DE RATA

Os presento a los personajes de esta historia:

Burt,
el hamburguesero ambulante

Papá, un papá

Sheila,
la madrastra de Zoe

Zoe, una niña

Señor Grave,
el director del cole

Señorita Elianna,
una maestra
pequeñita

Raj, un
quiosquero
grandullón

Tina Trotts, la
abusica de turno

Bizcochito,
un hámster
muerto

Armitage,
una rata viva

1

Aliento de patatas fritas
con sabor a cóctel de gambas

El hámster estaba muerto.

Tumbado boca arriba.

Con las patas tiesas.

Muerto.

Con lágrimas en las mejillas, Zoe abrió la jaula.
Le temblaba el pulso y tenía el corazón destrozado.
Mientras dejaba el cuerpecillo suave y peludo de
Bizcochito en la moqueta desgastada, pensó que
nunca más volvería a sonreír.

—¡Sheila! —gritó, tan alto como pudo. Aunque su padre se lo había pedido una y otra vez, se

negaba a llamar «mamá» a su madrastra. Nunca lo había hecho, y se había jurado a sí misma que nunca lo haría. Nadie podría reemplazar a la mamá de Zoe, y la verdad es que su madrastra ni siquiera lo había intentado.

—¡Cierra el pico! ¡Estoy viendo la tele y atiborrándome de patatas! —contestó la mujer con malos modos desde el salón.

—¡Es Bizcochito! —insistió Zoe—. ¡No se encuentra bien!

Por decirlo suavemente.

Una vez Zoe había visto en la tele una serie de médicos en la que una enfermera reanimaba a un anciano moribundo, así que, desesperada, intentó hacerle el boca a boca al hámster, insuflando aire muy suavemente en su boquita abierta. Pero no funcionó. Tampoco conectar el corazoncito del roedor a una pila AA con un clip. Era demasiado tarde.

El hámster estaba frío al tacto, y su cuerpo se había vuelto rígido.

—¡Sheila! ¡Por favor, ayúdame! —gritó la niña.

Al principio Zoe lloró en silencio, hasta que no pudo más y soltó un alarido tremendo. Solo entonces oyó a su madrastra arrastrar los pies a regañadientes por el pasillo del apartamento, situado en la planta treinta y siete de una torre de pisos inclinada. Sheila resoplaba y jadeaba cada vez que tenía que moverse. Era tan vaga que pedía a Zoe que le hurgara la nariz, aunque esta siempre se negaba, por supuesto. Era capaz de soltar un gemido de esfuerzo hasta cuando cambiaba de canal con el mando de la tele.

—Arf, arf, arf, arf... —resopló Sheila, haciendo estremecer el suelo a su paso.

La madrastra de Zoe era bastante bajita, pero lo compensaba siendo igual de ancha que de alta.

Era, en una palabra, esférica.

Zoe no tardó en darse cuenta de que Sheila estaba en el umbral, pues cegaba la luz del pasillo igual que un eclipse lunar. Además, reconoció el olor dulzón y empalagoso de las patatas fritas con sabor a cóctel de gambas. Su madrastra las adoraba. Hasta presumía de que, siendo pequeña, no quería comer otra cosa y escupía todos los demás alimentos a la cara de su madre. Zoe opinaba que las patatas fritas de bolsa apestaban, y ni siquiera a gambas. Por supuesto, el aliento de Sheila apestaba igual que las patatas.

Incluso entonces, plantada en el umbral, la madrastra de Zoe sostenía una bolsa de las detestables patatas en una mano, y con la otra se las zampaba a puñados mientras observaba la escena. Como siempre, llevaba puesta una larga camiseta blanca mugrienta, unas mallas negras y unas zapatillas afelpadas de color rosa. Los trozos de su piel que quedaban a la vista estaban cubiertos de tatuajes.

Llevaba escritos en los brazos los nombres de sus ex maridos, todos tachados.

—Vaya por Dios... —farfulló la mujer con la boca llena de patatas fritas—. Vaya por Dios, vaya por Dios, qué lástima. Qué disgusto más grande. ¡El pobrecillo ha estirado la pata!

Sheila se inclinó junto a Zoe y observó de cerca el hámster muerto. Mientras hablaba, salpicó la alfombra de trozos medio masticados de patatas fritas.

—Vaya por Dios, qué pena y todo eso que suele decirse... —añadió, con un tono que sonó de todo menos triste.

Justo entonces, un gran trozo de patata frita medio masticada salió volando de la boca de Sheila y aterrizó sobre el hocico suave y peludo de la pobre criatura. En realidad, era una mezcla de patata y saliva.* Zoe lo apartó con delicadeza mientras se le derramaba una lágrima que fue a caer sobre la naricilla rosada y fría de Bizcochito.

—¡Oye, tengo una idea genial! —dijo la madrastra de Zoe—. En cuanto me acabe estas patatas, podemos meter al pequeñajo en la bolsa. Pero yo no pienso tocarlo, te aviso, no sea que me pegue algo.

Sheila levantó la bolsa por encima de su cabeza, la volcó sobre su bocaza abierta y engulló las últimas migajas de patatas fritas con sabor a cóctel de gambas. Luego ofreció la bolsa vacía a su hijastra.

—Aquí tienes. Métemelo ahí dentro, rápido. Antes de que me apeste todo el piso.

* El término técnico vendría a ser «escupatatajo».

Zoe tuvo que morderse la lengua ante tamaña injusticia. Si algo apestaba en aquella casa era el aliento a patatas fritas con sabor a cóctel de gambas de su madrastra. Se podría decapar pintura con su halitosis. Era capaz de desplumar a un pájaro con un solo soplo. Según la dirección del viento, su aliento podía olerse a quince kilómetros de distancia.

—No pienso enterrar al pobre Bizcochito en una bolsa de patatas fritas —replicó Zoe—. No sé ni por qué te he llamado. ¡Vete, por favor!

—¡Pues sí que estamos buenos! —contestó la mujer a gritos—. Solo intentaba ayudarte. ¡Mocosa desagradecida!

—¡Pues no me estás ayudando! —gritó Zoe, que seguía dándole la espalda—. ¡Solo vete! ¡Te lo pido por favor!

Sheila salió de la habitación hecha una furia y dio un portazo tan fuerte que del techo cayó un desconchón de yeso.

Zoe oyó como la mujer a la que se negaba a llamar «mamá» regresaba a la cocina, bamboleándose pesadamente, sin duda para abrir otra bolsa de patatas fritas con sabor a cóctel de gambas tamaño familiar y acabar de atiborrarse. La niña se quedó sola en su cuartito, acunando al hámster muerto.

Pero ¿cómo había muerto? Zoe sabía que Bizcochito era joven, incluso en años de hámster.

«¿Podría tratarse de un hamstericidio?», se preguntó.

Pero ¿qué clase de persona querría asesinar a un pequeño hámster indefenso?

Bueno, antes de que esta historia llegue a su fin, lo sabréis. Y también sabréis que hay gente capaz de hacer cosas mucho, pero que mucho peores. El hombre más malvado del mundo se esconde entre las páginas de este libro. Seguid leyendo, si os atrevéis...

2

Una niña muy especial

Antes de presentaros a ese individuo tan retorcido, tenemos que volver al principio.

La verdadera mamá de Zoe había muerto cuando ella era un bebé, pero eso no le había impedido seguir llevando una vida muy feliz. Papá y ella siempre habían formado un buen equipo, y él la quería muchísimo. Mientras Zoe estaba en clase, papá se iba a trabajar a la fábrica de helados de la ciudad. Adoraba los helados desde que era un niño, y le encantaba trabajar en la fábrica, aunque tenía que echarle muchas horas y mucho esfuerzo a cambio de poco dinero.

Lo que más ilusión le hacía era crear helados de sabores nunca vistos. Al acabar su turno en la fábrica, volvía corriendo a casa, loco de emoción y cargado con muestras de algún nuevo helado raro y maravilloso para que Zoe fuera la primera en probarlo. Luego informaba a su jefe del resultado de la degustación. Estos eran los sabores preferidos de Zoe:

Sorbete dinamita

Chicle chiflado

Remolino de triple chocolate, nueces y dulce de leche

Cucurucho de algodón de azúcar

Natillas caramelizadas

Sorpresa de mango

Gominolas de Coca-Cola

Espuma de plátano y crema de cacahuete

Piña y regaliz

Sorbete explosivo de Peta Zetas

El que menos le gustaba era el helado de caracoles y brócoli. Ni siquiera el padre de Zoe podía conseguir que algo así estuviera rico.

No todos los helados llegaban a las tiendas (el de caracoles y brócoli, desde luego que no), ¡pero Zoe los probaba todos! A veces se daba tales atracones que creía que iba a explotar. Y lo mejor de todo era que, a menudo, era la única niña de todo el mundo que los probaba, lo que la hacía sentirse una niña muy especial.

Solo había un problema.

Al ser hija única, Zoe no tenía a nadie con quien jugar en casa, aparte de su padre, que pasaba muchas horas trabajando en la fábrica. Así que, al cumplir nueve años, al igual que muchos niños, deseaba con todas sus fuerzas tener una mascota. No hacía falta que fuera un hámster, solo necesitaba algo, lo que fuera, que le permitiera dar y recibir cariño. Sin embargo, puesto que vivían en la planta treinta y siete de una torre de pisos inclinada, ese algo tenía que ser forzosamente pequeño.

Y así, el día que Zoe cumplió diez años, como sorpresa, su padre salió más pronto de trabajar y fue a recogerla a la puerta de la escuela. La llevó a caballito —le encantaba ir a caballito desde que era un bebé— y la acompañó hasta la tienda de mascotas del barrio, donde le compró un hámster.

Zoe eligió a la cría de hámster más dulce y suave de todas las que había, y le puso Bizcochito.

Bizcochito vivía en una jaula, en el pequeño cuarto de Zoe. No le importaba que la desvelara por las noches dando vueltas y más vueltas en su rueda. No le importaba que le hubiese mordisqueado el dedo un par de veces mientras le daba trocitos de galleta como recompensa especial. Ni siquiera le importaba que su jaula oliera a pis de hámster.

En pocas palabras, Zoe quería a Bizcochito. Y Bizcochito quería a Zoe.

Zoe no tenía demasiados amigos en el cole. De hecho, los demás chicos solían burlarse de ella por ser bajita y pelirroja y llevar aparatos en los dientes. Una sola de esas cosas hubiese bastado para que le hicieran la vida imposible, pero le había tocado el gordo y las tenía todas.

Bizcochito también era pequeño y pelirrojo, aunque por supuesto no llevaba aparatos en los dientes. Seguramente, de no haber sido un poco canijo y con el pelo tirando a rojo, Zoe no lo habría elegido entre las docenas de bolitas peludas que se acurrucaban entre sí en la vitrina de la tienda. Debió de intuir que eran almas gemelas.

A lo largo de las semanas y meses siguientes, Zoe había enseñado a Bizcochito unos cuantos trucos alucinantes. Por una semilla de girasol, el hámster se ponía de pie sobre las patitas traseras y hacía un bailoteo. Por una avellana, Bizcochito daba un salto mortal hacia atrás. Y por un terrón de azúcar, giraba como una peonza tumbado boca arriba en el suelo.

El sueño de Zoe era convertir a su pequeña mascota en una celebridad por ser el primer hámster del mundo que bailaba break-dance.

Quería organizar un pequeño espectáculo por Navidad al que invitaría a todos los niños del bloque de pisos. Hasta había hecho un póster para anunciarlo. Y entonces, un día papá llegó a casa con una noticia muy triste que destrozaría sus vidas para siempre...

3

Nada

—Me he quedado sin trabajo —anunció papá.

—¡No! —exclamó Zoe.

—Van a cerrar la fábrica. Se llevan toda la producción a China.

—Pero encontrarás otro trabajo, ¿verdad que sí?

—Lo intentaré —dijo papá—. Pero no será fácil. Somos muchos buscando el mismo tipo de puesto.

Pronto comprobaron que, en realidad, no es que no fuera fácil, sino que era casi imposible. Al igual que tanta gente que perdió su empleo de la noche a la mañana, papá tuvo que apuntarse al paro. Le pagaban una miseria, apenas lo bastante para sobrevivir. Sin nada que hacer en todo el día, el hombre se fue hundiendo cada vez más. Al principio se pasaba cada día por la oficina de empleo, pero nunca había ninguna oferta de trabajo a menos de ciento cincuenta kilómetros de distancia, y al final cambió la oficina de empleo por el pub. Zoe lo sabía porque estaba bastante segura de que las oficinas de empleo no abrían hasta las tantas de la madrugada.

La niña estaba cada vez más preocupada por su padre. A veces se preguntaba si no habría tirado la toalla. Primero había perdido a su mujer, luego su puesto de trabajo, y daba la impresión de que no tenía fuerzas para seguir adelante.

Cómo iba él a imaginar que las cosas estaban a punto de ir a peor, mucho peor...

Papá había conocido a la madrastra de Zoe cuando más depre estaba. Se sentía solo y ella se había quedado viuda después de que su último marido muriera en un misterioso suceso relacionado con las patatas fritas con sabor a cóctel de gambas. Al parecer, Sheila estaba segura de que el dinero del paro de su décimo marido le permitiría vivir a cuerpo de reina, con pitillos a granel y todas las patatas con sabor a cóctel de gambas que le cupieran en el estómago.

Como la verdadera madre de Zoe había muerto siendo ella un bebé, por mucho que lo intentara, y lo intentaba con todas sus fuerzas, no lograba recordarla. Antes había fotos de mamá por todo el piso. Tenía una sonrisa amable. Zoe se quedaba mirando aquellas fotos e intentaba sonreír igual que ella. Se parecían, eso saltaba a la vista. Sobre todo en la forma de sonreír.

Sin embargo, un día, aprovechando que se había quedado sola en casa, la madrastra de Zoe había hecho desaparecer todas las fotos, que ya daba por «perdidas». Seguramente las había quemado. A papá no le gustaba hablar de mamá porque le entraban ganas de llorar. Pero seguía viva en el corazón de Zoe. Sabía que su verdadera mamá la quería muchísimo. Sencillamente lo sabía.

Igual que sabía que su madrastra, en cambio, no la quería ni pizca. Que ni siquiera le caía bien. En realidad, estaba bastante segura de que su madrastra la detestaba. En el mejor de los casos, Sheila la trataba como si fuera invisible; en el peor, como si fuera un estorbo. La había oído decir más de una vez que pensaba echarla de casa en cuanto tuviera edad para valerse por sí misma.

—¡No pienso consentir que esa pequeña mocosa siga gorroneándome toda la vida!

Sheila nunca le daba ni un penique, ni por su cumpleaños. Esa Navidad le había regalado un pañuelo de papel usado y luego se había reído en su cara cuando Zoe lo había abierto. Estaba lleno de mocos.

Poco después de que la madrastra de Zoe se mudara al piso, había exigido que se deshicieran del hámster.

—¡Ese bicho apesta! —había chillado.

Sin embargo, tras un largo tira y afloja con muchos gritos y portazos, Zoe había podido conservar a su pequeña mascota.

Pero Sheila la había tomado con Bizcochito. Se quejaba día y noche de que roía el sofá, cuando en realidad eran las ascuas de sus cigarrillos las que hacían aquellos agujeros. Zoe había perdido la cuenta de las veces que la había amenazado con aplastar a ese «bicho asqueroso» si alguna vez lo veía fuera de su jaula.

Sheila también se burlaba de que intentara enseñar break-dance a su hámster.

—Pierdes el tiempo con tonterías. Esa alimaña y tú nunca llegaréis a nada, ¿me oyes? ¡A nada!

Zoe la oía, pero había decidido no escucharla. Sabía que tenía un don especial para los animales, papá siempre se lo había dicho.

De hecho, Zoe soñaba con viajar por todo el mundo con una gran compañía ambulante de animales amaestrados. Algún día se dedicaría a enseñarles grandes hazañas que deleitarían al mundo entero. Hasta había hecho una lista de esos números descabellados:

Una rana que pincha música como nadie

Un galápago rapero

Dos jerbos que hacen baile de salón

Un elefante que
canta ópera

Un burro que hace
trucos de magia

Un ciempiés
que baila claqué

Un grupo pop compuesto exclusivamente
por conejillos de Indias

Una banda de rap callejero formada por tortugas

Un gato que

hace imitaciones

(de famosos gatos de cómic)

Una cerda que

se dedica al ballet

Un gusano hipnotizador

Un número de
funambulismo
con vacas

Una hormiga
ventrílocua

Un topo temerario que se atreve con números increíbles, como salir disparado de un cañón

Una exhibición de kárate con medusas

Un hipopótamo que hace puenting

Zoe lo tenía todo planeado. Con el dinero que sacaría de los espectáculos de animales, su padre y ella podrían irse para siempre de aquella torre de pisos destartalada que parecía a punto de desplomarse. Zoe podría comprarle a su padre un piso mucho más grande, y ella podría retirarse a una enorme casa en medio del campo donde montaría un refugio para mascotas abandonadas. Los animales podrían pasear a sus anchas durante el día y dormir en una cama gigante por la noche. «No hay animal demasiado grande, ni demasiado pequeño. Los queremos a todos por igual» sería el lema que les daría la bienvenida.

Pero entonces llegó el día fatídico en que, al volver de clase, Zoe se encontró a Bizcochito muerto. Y con él murió también su sueño de convertirse en amaestradora de animales.

Bueno, queridos lectores, después de este pequeño viaje al pasado, regresamos al presente y ya podemos seguir adelante con la historia.

Pero ni se os ocurra volver atrás. Eso sería de tontos, y solo serviría para que dierais más vueltas que una peonza, leyendo las mismas páginas una y otra vez. De eso nada. Pasad a la página siguiente y yo me encargaré de retomar el hilo. Venga. Dejad de leer ahora mismo y pasad la página. ¡Ya!

David Walliams

montena